KB008412

Dedicated to Fatima

XVII

MAMORU NAGANO

파티마 베르쿠트

매드라가 필모어에 적을 두고 있었던 시절의 파트너. 쿠프 파티마. 현재에도 매드라와 함께 미노그시아에서 활동하고 있다. 미라쥬와 필모어 양쪽 파티마 슈트의 특징을 합친 듯한 디자인으로 몹시 눈길을 끄는, 가히 반칙적이라 할 만한 슈트이다. 물론 슈트 디자인은 시안 부인.

장미의 검성
매드라 모이라이

미라쥬 기사단 에이스 넘버. 로그너, 아이샤, 이카루가와 함께 톱4로 불리며 그 일각을 이루는 미라쥬 기사단의 지휘관. 사방으로 돌아다닌다는 점에서 이번 권의 주인공이기도 하다. 향후 싸우는 일도 GTM에 타는 일도 없지만, 검성으로서의 그 힘과 초제국 검성 프로미넌스의 기억을 이어받은 지식으로 여러 사람들을 돕는다. 매드라에게는 베르쿠트와 크랙컬라인이라는 2명의 파티마가 있는데, 원래의 미소녀 매드라는 베르쿠트, 스파크는 크랙컬라인이라는 식으로, 예전의 다중 인격에 맞춰 구분해 쓰고 있는 모양이다.

미스 발란셰

파티마 갈런드. 마키시의 친어머니. 양아버지였던 크롬 발란셰 공에게서 특수한 파티마의 설계도를 물려받아, 가히 금단이라 할 만한 방법으로 마키시를 출산했다. 자신에 대한 마키시의 비정상적일 정도의 집착에 당혹감을 느끼면서도 마키시를 키우고 있다. 다만 아마테라스노 미카도는 그렇게까지 해 가며 마키시를 낳은 미스를 따스한 시선으로 지켜보고 있는 모양이다.

파티마 아우크소

세상을 떠난 검성 카이엔의 파트너. 카이엔을 잃음으로써 GTM의 제어가 불가능하게 되었다. 지금도 아우크소는 카이엔이 자신의 마스터라고 인식하고 있는 것이다. 성단법상으로는 폐기 대상이지만, 갈런드들에 의해 이 사실은 대외적으로 드러나지 않은 채 미스의 저택에서 카이엔의 아이인 마키시를 키우고 있다. 파티마로서의 명성이 몹시 높아 아우크소를 노리는 기사가 많다.

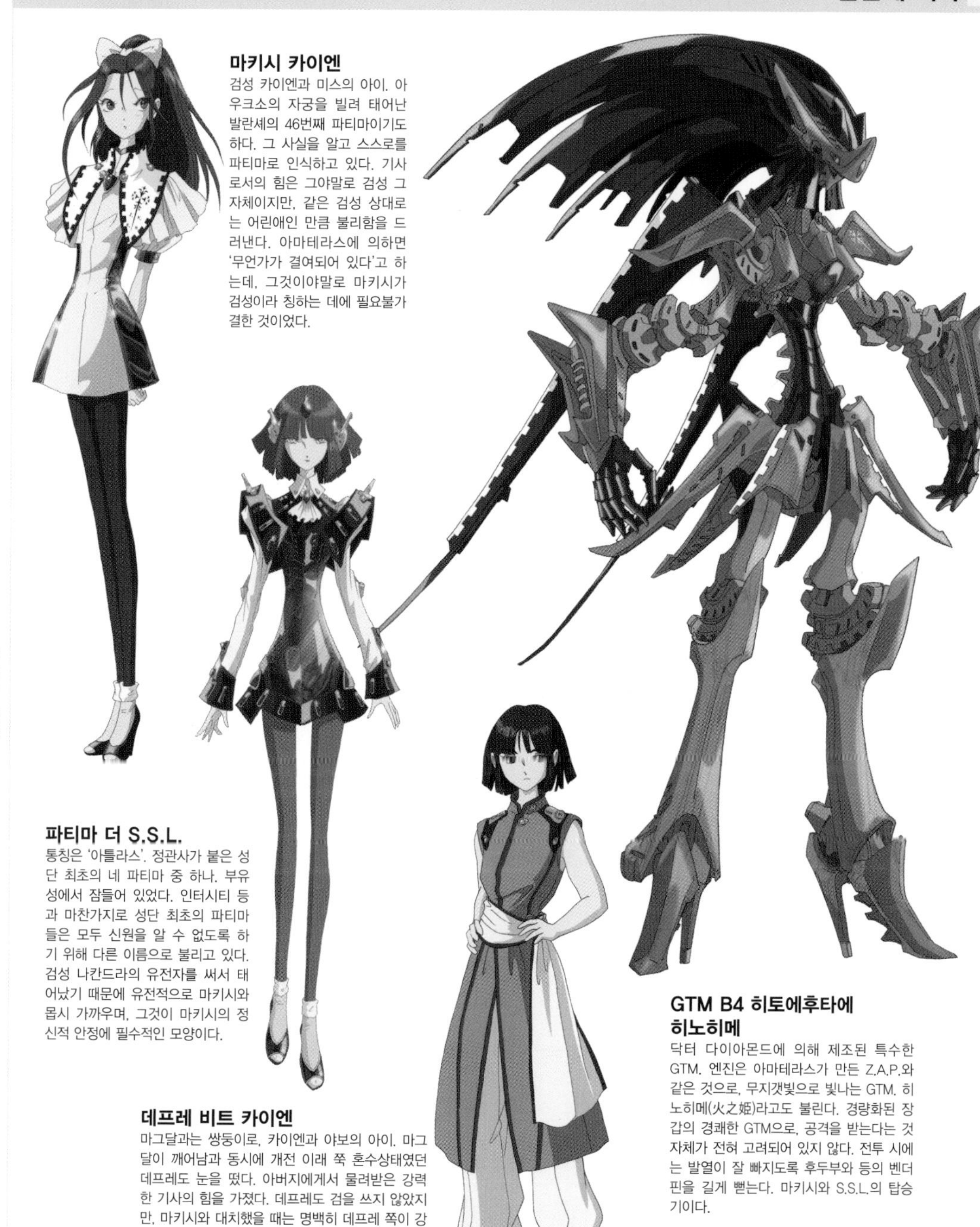

마키시 카이엔

검성 카이엔과 미스의 아이. 아우크소의 자궁을 빌려 태어난 발란셰의 46번째 파티마이기도 하다. 그 사실을 알고 스스로를 파티마로 인식하고 있다. 기사로서의 힘은 그야말로 검성 그 자체이지만, 같은 검성 상대로는 어린애인 만큼 불리함을 드러낸다. 아마테라스에 의하면 '무언가가 결여되어 있다'고 하는데, 그것이야말로 마키시가 검성이라 칭하는 데에 필요불가결한 것이었다.

파티마 더 S.S.L.

통칭은 '아틀라스'. 정관사가 붙은 성단 최초의 네 파티마 중 하나. 부유성에서 잠들어 있었다. 인터시티 등과 마찬가지로 성단 최초의 파티마들은 모두 신원을 알 수 없도록 하기 위해 다른 이름으로 불리고 있다. 검성 나칸드라의 유전자를 써서 태어났기 때문에 유전적으로 마키시와 몹시 가까우며, 그것이 마키시의 정신적 안정에 필수적인 모양이다.

GTM B4 히토에후타에 히노히메

닥터 다이아몬드에 의해 제조된 특수한 GTM. 엔진은 아마테라스가 만든 Z.A.P.와 같은 것으로, 무지갯빛으로 빛나는 GTM. 히노히메(火之姬)라고도 불린다. 경량화된 장갑의 경쾌한 GTM으로, 공격을 받는다는 것 자체가 전혀 고려되어 있지 않다. 전투 시에는 발열이 잘 빠지도록 후두부와 등의 벤더 핀을 길게 뻗는다. 마키시와 S.S.L.의 탑승기이다.

데프레 비트 카이엔

마그달과는 쌍둥이로, 카이엔과 야보의 아이. 마그달이 깨어남과 동시에 개전 이래 쭉 혼수상태였던 데프레도 눈을 떴다. 아버지에게서 물려받은 강력한 기사의 힘을 가졌다. 데프레도 검을 쓰지 않았지만, 마키시와 대치했을 때는 명백히 데프레 쪽이 강했다. 이윽고 아버지 카이엔을 빼닮은 듯한 모습으로 성장, 아우크소에게서 아버지의 회원검 자검을 받는다. 얼핏 보면 차분한 소년 같지만, 마키시에 대한 도발적인 어조 등은 어머니인 야보 그 자체 같기도 하다.

노이스 고류노프

암빌란 광산 서구(西區)의 노동자. 실은 구(舊) 하스하 연합의 GTM 갈런드였다. 자신의 재능을 살리고 싶어 바하트마의 GTM을 설계 제조하고 있었지만, 개전 후 자신이 관여한 GTM이 모국을 유린하는 것을 보고 자신의 행보에 괴로움을 느껴, 신원을 감추고 난민이 되어 과오에 대한 속죄를 하고 있다. 훗날의 아톨 성도왕조의 GTM 갈런드. 그가 설계한 걸작기 '아톨라'는 중공(中空) 장갑을 채용한 미노그시아의 GTM이다.

안쥬 유라
(마그달 비트 카이엔)

카이엔의 딸. 데프레의 쌍둥이 누나. 혼수상태로 긴급 캡슐에 실려 32년이나 우주를 떠돌고 있었다. 훈련 중이던 SPK 대에 의해 발견된 뒤 도마 연합에 넘겨져, 오갈 데 없는 고아로서 행성 카만토의 가혹한 채굴 현장에서 고아들과 함께 일하고 있다. 보스야스포트와의 싸움에서 안구가 파괴되어, 청각은 돌아왔지만 눈이 보이지 않는 상태이다. 자신의 신원을 숨기고 있었지만, 이윽고 광산 노동자들의 이야기를 들어주게 된다.

산사 홀레 감시관

암빌란 광산의 감독. 원래는 미노그시아인이었지만 도마의 앞잡이가 되어 난민들의 미움을 받고 있다. 혼수상태의 마그달이 달고 있던 어머니 야보의 귀걸이를 훔치는 등, 몹시 속물적인 인물.

오모랄드 할

구(舊) 하스하 연합 AP 기사단 SPK 대의 지대장이었지만 개전과 동시에 SPK 대는 하스하를 이탈, 독자적인 길을 걷기를 택했다. 당초 보오스 성계 우주 거주민을 위한 기사단이 목표였지만, 어느샌가 도마 연합의 앞잡이 같은 취급을 받고 있다. 그 딜레마를 끌어안은 채 기사단 본연의 모습에 관해 고뇌하고 있다.

아일 페르노아

마그달이 있는 암빌란 광산에서 일하고 있는 고아. 실은 기사의 힘이 발현됐지만, 기사임이 발각되면 도마 연합에게 세뇌되기 때문에 기사임을 숨기고 있다. 장래에는 시녀님의 기사가 되어 노이스의 GTM을 모는 것을 꿈꾸는 순수한 소년.

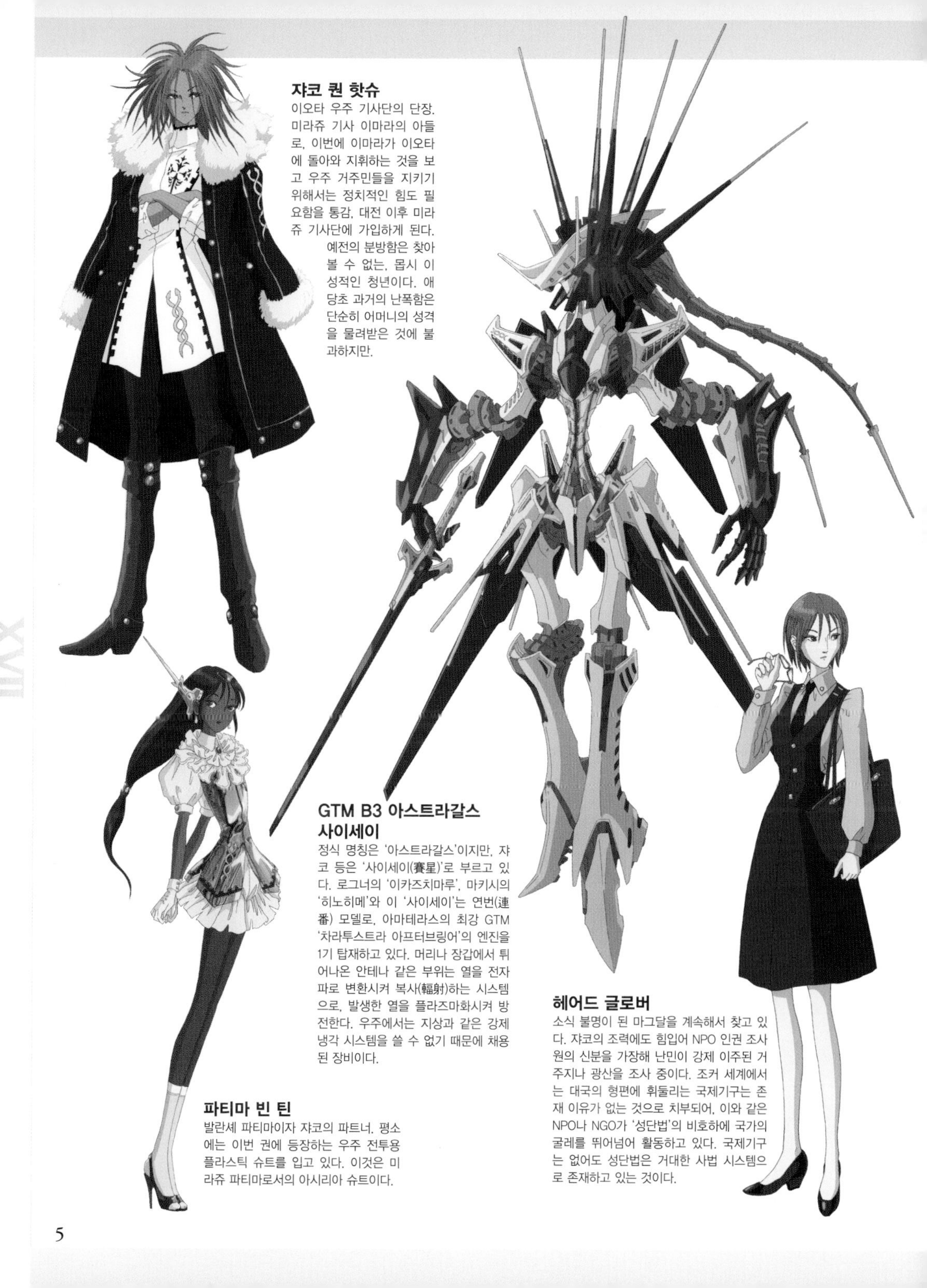

쟈코 퀸 핫슈

이오타 우주 기사단의 단장. 미라쥬 기사 이마라의 아들로, 이번에 이마라가 이오타에 돌아와 지휘하는 것을 보고 우주 거주민들을 지키기 위해서는 정치적인 힘도 필요함을 통감, 대전 이후 미라쥬 기사단에 가입하게 된다. 예전의 분방함은 찾아볼 수 없는, 몹시 이성적인 청년이다. 애당초 과거의 난폭함은 단순히 어머니의 성격을 물려받은 것에 불과하지만.

GTM B3 아스트라갈스 사이세이

정식 명칭은 '아스트라갈스'이지만, 쟈코 등은 '사이세이(賽星)'로 부르고 있다. 로그너의 '이카즈치마루', 마키시의 '히노히메'와 이 '사이세이'는 연번(連番) 모델로, 아마테라스의 최강 GTM '차라투스트라 아프터브링어'의 엔진을 1기 탑재하고 있다. 머리나 장갑에서 튀어나온 안테나 같은 부위는 열을 전자파로 변환시켜 복사(輻射)하는 시스템으로, 발생한 열을 플라즈마화시켜 방전한다. 우주에서는 지상과 같은 강제 냉각 시스템을 쓸 수 없기 때문에 채용된 장비이다.

헤어드 글로버

소식 불명이 된 마그달을 계속해서 찾고 있다. 쟈코의 조력에도 힘입어 NPO 인권 조사원의 신분을 가장해 난민이 강제 이주된 거주지나 광산을 조사 중이다. 조커 세계에서는 대국의 형편에 휘둘리는 국제기구는 존재 이유가 없는 것으로 치부되어, 이와 같은 NPO나 NGO가 '성단법'의 비호하에 국가의 굴레를 뛰어넘어 활동하고 있다. 국제기구는 없어도 성단법은 거대한 사법 시스템으로 존재하고 있는 것이다.

파티마 빈 틴

발란셰 파티마이자 쟈코의 파트너. 평소에는 이번 권에 등장하는 우주 전투용 플라스틱 슈트를 입고 있다. 이것은 미라쥬 파티마로서의 아시리아 슈트이다.

이마라 로우트 쟈쟈스

미라쥬 기사이자 A.K.D.의 우주군 사령관. 쟈코의 친어머니이기도 하다. 과거 남편이 남긴 이오타 우주 기사단의 단장으로서 그 거친 단원이나 우주 해적을 상대로 날뛰고 다녀, '아티아의 귀신 공주'라고 불렸다. A.K.D.의 우주군 사령관으로서의 역량, 왕녀로서의 정치적 수완 등 그 말과 행동은 아들인 쟈코, 그리고 타이트네이브에까지 몹시 막대한 영향을 준다. 이번 권에서는 마크 2에 탑승, 우주 공간에서의 싸움을 전개한다.

GTM 스피드미라쥬 (게이트시온 마크 2)

통칭 마크 2로 간략히 불린다. 시스템 칼리굴라의 우주 공간 이동 용도를 겸하는 변형 GTM이지만, 츠반치히의 미라쥬 입단으로 1기, 거기에 지난 권의 마우저, 에피, 보의 가입에 따라 도합 4기나 되는 마크 2가 미라쥬 기사단 운용 GTM이 되었다. 우주 전투에 관해서는 견줄 만한 GTM이 없어, 현재 무적 상태이다.

파티마 솔티아

이마라의 파트너. 원래부터 이마라와 함께 우주에서 싸웠기 때문에, 미라쥬 기사단의 파티마 중에서도 가장 우주 전투의 경험이 많아, 미라쥬 파티마들의 호스팅을 담당하는 경우가 많다. 이번 권에서는 가먼트 슈트를 입고 등장.

프린세스 타이트네이브

이번 권의 무대가 되는 카만토 성의 시지락 왕국의 왕녀. 현재는 여고생 겸 미라쥬 기사이지만, 카만토 성의 도마 연합의 지배에 염려하고 있다. 애칭은 *쟈쟈 공주.

*자주 쓰는 말투로 인한 애칭. 한국어로는 '요요 공주' 정도에 해당.

산죠 코우

이오타의 부단장. 이마라가 단장이었던 시절에 입단. 지금은 이오타에 없어서는 안 될 존재가 되었다. 고교 시절 란에 유학을 갔었던 관계로 헤어드의 정체를 알고 있다. 이즈모 아스트로시티에서 보오스로 향하지만, 그곳에서 그녀가 보는 것은….

이카루가 왕자

아마테라스 가의 친왕(親王). 황위 계승권을 가진 왕자이지만, 여계 상속인 아마테라스 가에서는 아마테라스 가의 피를 잇는 여성과의 사이에서 아이를 얻는 것밖에는 황위 계승권을 남길 수 없는 숙명이다. 복잡한 가계와 사정이 있는 이카루가이지만, 적확하고 냉정한 판단력을 가져 미라쥬 좌익의 지휘관으로 성장했다.

파티마 마쟈

이카루가의 파트너. 발란셰 파티마. 이카루가가 태어나기도 전부터 아마테라스 가를 섬기던 파티마로, 이번 권에서는 이카루가의 첫 출진을 서포트한다.

파티마 살로메

타이트네이브의 파트너. 원래는 검성 하이아라키의 파티마였다. 실전 경험도 많고 우주 공간에서도 타이트네이브와 함께 다양한 경험을 쌓아, 젊은 미라쥬 기사들의 서포트를 하고 있다. 발란셰가 독립하기 전의 파티마이지만, 발란셰 파티마 최연장자 대우를 받고 있다.

에피 *미츠코

전(前) 시스템 칼리굴라 지휘관. 지난 권에서 라키시스의 종복이 되었으며, 지금은 미라쥬 기사단 좌익 넘버 2이다. '미츠코'라는 이름은 편의적으로 지어준 것이지만, 기호로 불리던 그녀로서는 그것이 기뻤는지 마음에 든 모양이다. 이번 권에서는 스바스 시의 여고생이 되어, 기지 내 편의점에서 일하며 데프레 등의 동향을 살피는 중이다. 츠빈치히와 마찬가지로 신장을 40cm 이상 줄인 상태라, 프로포션이 달라져 있다.

*일본어로 '미츠'는 '3(드라이)'을 뜻한다.

GTM 호우라이

메요요 조정의 주력 GTM. 설계자는 다이아몬드 박사이지만, 그 뒤의 생산과 개량은 크라켄벨 시절에 이루어졌다. 타국의 GTM보다 실전 경험이 많은 데다, 인접국이기도 한 코넬라 제국의 GTM 데모르와 공동 훈련을 하며 조정, 숙성을 거쳐 성단사에 이름을 남기는 GTM이 되며, 4000년대에도 계속해서 사용되었다.

보 *무츠코

에피와 마찬가지로 라키시스의 종복이 되기를 자청, 미라쥬 좌익 넘버 3가 되었다. 생체 사이보그이기 때문에 신장 등을 자유롭게 바꿀 수 있는 이들 두 사람은 그 편리함에 아마테라스의 총애를 받고 있다. 이번 권에서는 나카카라 왕국에 여학생으로 잠입, 과외 활동으로 난민 대상 자원봉사 중이다. 그 뒤에는 카만토 성의 난민 노동자로 잠입한다. 원래 신장은 약 2m이지만, 여학생일 때는 158cm, 난민일 때는 175cm로, 변화무쌍한 녀석들이다.

*일본어로 '무츠'는 '6(젝스)'을 뜻한다.

크라켄벨 메요요 대제 (차 벨 해럴드 마리다시오 1세)

메요요 조정 대제. 성격, 언행, 전부 폭군. 그런 까닭에 무슨 짓을 저지를지 모르는 사내로서 모두의 두려움을 받고 있다. 그러나, 100년 후, 200년 후, 역사 속에서 과연 크라켄벨은 폭군으로 불릴 것인가? 필모어를 비롯해 A.K.D.와도 대등하게 겨루고 타국의 기사들조차 규합하는 그 힘에, 무엇보다 국민과 국가에게 성실한, 메요요 조정 최고의 군주인 것이다. 훗날의 통일 카스테포 연합 차 벨 초대 대통령.

성단력 3062년
서태양계 소행성군

휘이이이이
쉬이이이이이이
츠뷰우

퍼억
샤아앗
뷰우
샤앗
콰악

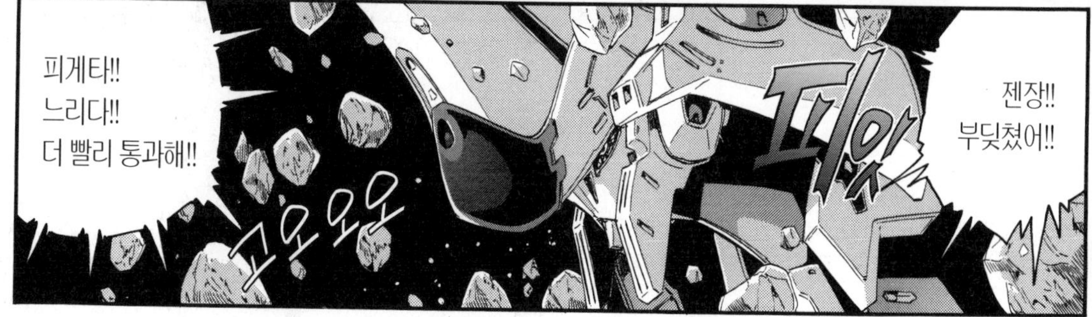
젠장!!
부딪쳤어!!
피잇
피게타!!
느리다!!
더 빨리 통과해!!
고오오오

※데브리: 우주 공간을 떠도는 각종 쓰레기, 파편 같은 것들.

GTM은 그 장갑으로
파편이나 잔해를
튕겨내고, 피해 가며
진행 루트상 방해되는
거대 데브리는
파티마가 빔으로
파괴하지요.
휘이이이이이이이
샤아아아아아아
데브리 배제
배리어밖에 없는
전투기나 소형선이면
이런 속도로
날아다니다가는
금세 충돌해버릴
겁니다.
잔해뿐만 아니라
파괴된 기체에서
흩날리는 오일이나
액체 같은 것들이
금세
얼어붙어서요….

전방에서 파괴된
표적의 파편은 흩날리고,
오일은 얼음덩어리가
되어 충돌하고,
이런 것에 부딪혀 목숨을
잃는 자들은 부지기수….
기사의 반응 속도,
GTM의 장갑과 초기동력,
파티마의 서포트,
우주의 전투를 지배하는
것은 GTM입니다….

저희의
GTM 단다그라다는
머리나 어깨에
다수의 센서와
빔 포가 장비되어
데브리를 배제하며…
휘이이이
반짝 반짝 반짝

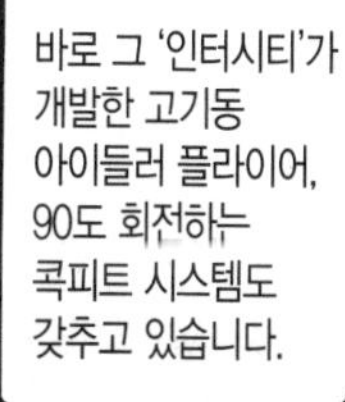
바로 그 '인터시티'가
개발한 고기동
아이들러 플라이어,
90도 회전하는
콕피트 시스템도
갖추고 있습니다.

물론
행성 중력하에서
전투 또한
가능하지요.
단다그라다는
'바가 하리'
이기도 하니까
말입니다.
쉬이이이이이이
휘잉 휘잉 휘잉
샤아아아아앗
저희와
동급의 GTM을
가지고 있는 건
이오타
우주 기사단
정도일 겁니다.

과연…
보기만 해도
알겠군.
우리
도마 연합에
귀공의
SPK 대가
가세해줘서
고맙소이다….

마스터!
구난 신호가!
전방 40km
10시 방향입니다!
슈와아아아
뭐?
발신원을
확인해봐!

생명 반응이
있습니다!!
좌표 특정!
피게타!
구조에
나서라,
즉시!!

잠깐!
할 지대장!
훈련 중이잖소!
무시하지 않고!

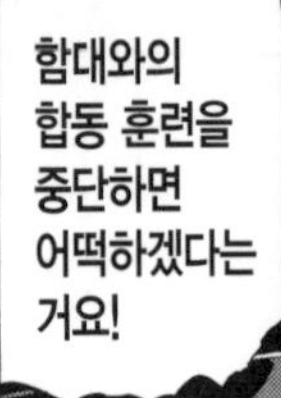
함대와의
합동 훈련을
중단하면
어떡하겠다는
거요!

오카 총독!
구조하게 해주시길!
우주에선
외부 공간으로
방출되면 끝장!!
우주 거주민은
구난 신호를
받으면
최우선적으로
달려가게 되어
있습니다!!

못 본 척하면
평생 신용을
받지 못하게
됩니다!!
부디!

…그럼
그 좌표 매핑을
이쪽으로 보내시오.
우리 군에서
구조선을
보낼 테니까!
GTM은
즉시
훈련을
재개하는
거요!!

감사
합니다!
'아리에'!
좌표
전송!!

웃기고 있군…!
이 훈련에 얼마나 예산을
들이고 준비를 했는데…!
우주 거주민 따위가 내게
이래라저래라해?!

좌표,
왔습니다!
표시하겠
습니다!
링링 링링링
치치치치치치치
리리리리리리 링링

좌표 위치
도착!
구조 포드
투하!!
휘이이이이이
삐.삐.삐

밀려와
모여 있는 잔해다!
파손 부품에서
전자파가 아직도
나오고 있어!
이래서야
파티마가 아니면
신호가
노이즈에 뒤섞여
캐지 못 하겠군.
반짝
삑 삑 삑
반짝
반짝
반짝

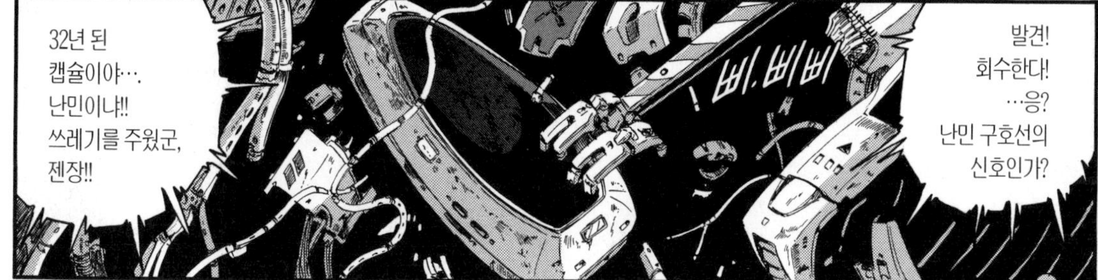
발견!
회수한다!
…응?
난민 구호선의
신호인가?
삐.삐삐
32년 된
캡슐이야….
난민이냐!!
쓰레기를 주웠군,
젠장!!

빅빅빅빅
제6화
=시간의 시녀=
Lighthouse of Karmantho
BOTH 3062
4막 4장
카만토의 등불

미노그
시아
연합
스바스 시

타앙
마기—!!
비켜!
지나가세!
탁탁

황자님…
데프레 님의
용태에
변화가 있다니,
무슨 소린가?

조용히
해!!
바룬가!
부우우우우우우웅

베이지가
함락된 뒤
냉동 수면처럼
계속 잠들어 있던
데프레의
뇌파가…
삑 삑
삑 삑
움직이기
시작했어.
깨어날
조짐이야….

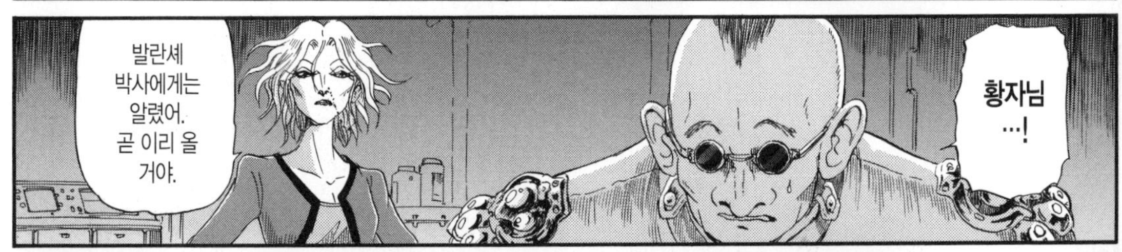
황자님
…!
발란셰
박사에게는
알렸어.
곧 이리 올
거야.

32년간
계속 잠든 채
전혀 성장하지
않았어….
이것저것
검사할 필요가….
…….
…마…

…마그달
…?
어디…?
거긴….

거긴…
어디?
데프레?!!
…응
—?
…
앗?
뭐야?
캄캄해!
넌~
누구—?
눈 왜 그래?
앗?
넌 누구?
눈이
라니…?
눈을
못 뜨겠어!!
아파!
어째서?
부우우우우우부우우우우우…
오?!
정신이 든
모양인데.
?
누가 있는
거야?
삑 삑 삑 삑
부우우우우우우우우우
아—
귀를 다쳤군.
목소리에
반응하지 않아.
수면 중
치유되지
않았어….
그런데
이 아이의
두개골 내부…
이게 뭔 일이람.
이래서야
눈도….
어디….
콕
아파!
아파!
하지 마!!
역시 안구가
뭉개져
살덩이가
돼버렸나…?
삑 삑 삑
게다가
후두부의
시각중추가
날아갔어.

무슨
소리야?
닥터?

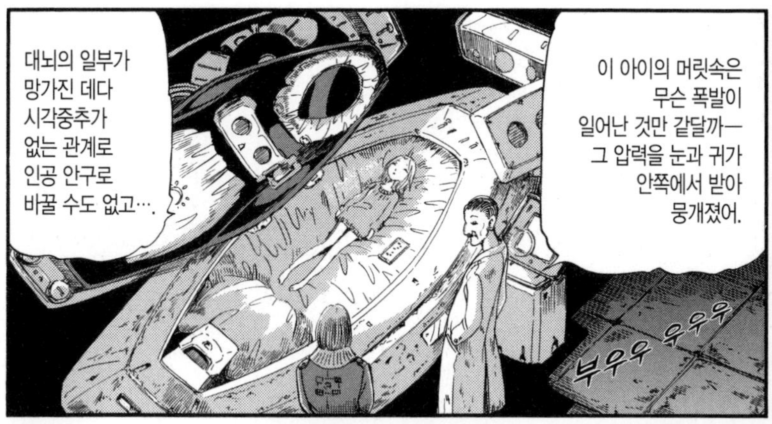
이 아이의 머릿속은
무슨 폭발이
일어난 것만 같달까—
그 압력을 눈과 귀가
안쪽에서 받아
뭉개졌어.
대뇌의 일부가
망가진 데다
시각중추가
없는 관계로
인공 안구로
바꿀 수도 없고….
부우우 우우우

아니 잠깐!
도마 녀석들에게
고개를 숙여 가며
이 아이를
데리고 왔는데!
보이지도
들리지도
않아서야
아무짝에도
쓸모가 없잖아!

가만 가만,
청각은 조만간
돌아올 거야.
이걸
시험해
볼까.

머리에 울리듯
들릴 거야.
들리니?
아!

여긴 어디?
아저씨는
누구?

여긴
카만토 성
암빌란 광산
서구(西區)
란다.
난민이
모여 있는
광산 도시지.
넌 안쥬 유라지?
응?
카만토?
응?
난…!
보스야스포트가
아버님을
해쳐서…!

※지구 시간으로 약 5, 6년
포드의 정보에 의하면 넌 3030년 11월 전투에 휘말려 부상!
잘 들어! 넌 구명 포드 안에서 32년※이나 잠들어 있었어! 지금은 성단력 3062년.
상황을 알려 줘야지.
퍼억
닥터, 비켜봐!
아아… 부모님을 바하트마에게 잃었구나…. 아직 혼란 스럽겠군….
너만 살아 적십자에게 구조됐지만 수용 스테이션이 해적의 습격을 받았고…
네 어머니 아뎀 유라는 그때 네 곁에서 죽어 있었지.
산사 홀레 감사관님, 괜히 떠맡은 거 아뇨?
아니, 이래선 영 일손이 못 되겠네.
어?
어?
넌 소행성대를 떠돌고 있다가 도마 연합에 의해 발견된 거야!
그러게…. 뭐, 그래도 잠시 상태를 보자고.
쳇….
꽤 반반하기도 하니까 말이야….
일손이 못 된다 해도 어떻게든지 써먹을 길은 있을걸.

어쩐지 점점 플로트 템플이 아니게 되는 것 같은 느낌이 드는데…

부르셨습니까, 폐하!
전성사 정보부 귤조(橘組) 제복
스윽…

원래는 로그너 휘하의 크냐지코바에게 부탁했어야 하지만,
그쪽은 지금 육아 휴가 중이라서 말이야….

보오스 성으로 가서 에피는 스바스, 보는 나카카라를 맡아줬으면 해.
예! 말씀만 하시길!

우선 스바스에는 랜드가 있으니까, 얼굴을 모르는 에피라면 움직이기 편할 거야.
데프레가 깨어났다는 건 알고 있겠지?

소식 불명이 된 마그달에게 무슨 일이 일어난 건지도 몰라. 마그달과 데프레는 뇌공명(腦共鳴)으로 이어져 있거든.

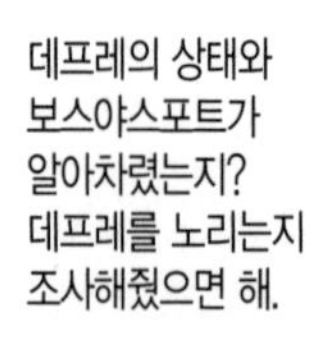

데프레의 상태와 보스야스포트가 알아차렸는지? 데프레를 노리는지 조사해줬으면 해.

보는 나카카라를 부탁한다. 필모어 원로원의 움직임이 신경 쓰여.
특히 애드 왕과 틸버 여왕. 저들의 뒤에는 칼리굴라가 있지.

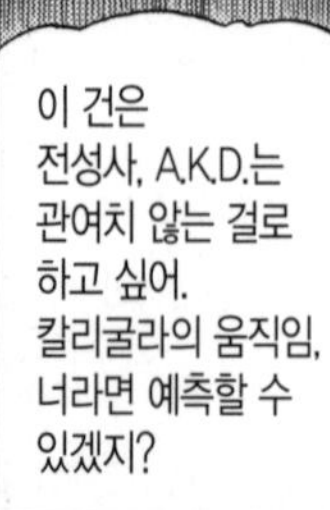

이 건은 전성사, A.K.D.는 관여치 않는 걸로 하고 싶어. 칼리굴라의 움직임, 너라면 예측할 수 있겠지?

위험한 임무에
나서는 너희에게
특별한 장비를
수여할게.
이미 절대적 효과가
검증된 바 있는
장비야.
스윽

옆방에
있으니까
즉시
장비해봐.
예!
분부
대로!

역시
이 장비
였나요~.
아~~~
드디어
이날이~.
아무리 그래도
갑자기
맨다리라니~~
⇦
스바스
시립 죠난
고등학교
교복
⇦ 신장 ⇨
158cm까지
줄였다.
⇨
나카카라
왕립
제1고등학교
교복
둘 다 무기도
필요 없고
신장도
조절할 수
있어서——
너희,
이래저래
편리
하다니까.
오~~
잘 어울려
굉장해,
굉장해

이 시점에
여기저기서 움직이기
시작한 모양이야.
베라에는
아이샤를 보냈고,
이스트 하스하에는
매드라를 급파했지.
마에센은 베이지,
우라첸과 바이즈비즈는
카스테포로 향했어.
서로 연락하고.
단 매드라 쪽에는
나도 가볼지도 몰라.

베라 국
시케이너 시
트룩 대
본부
쿠오오오오오오
후우우우
후오오오오오오
고오-옹
고오-옹

세이레이
님은
본국으로
가셨지만,
뚜벅
뚜벅

콜러스 군이
주둔하고 있는
덕분에
적의 움직임이
멈추고
오오오
고오오오오
전선이 안정되어
지금은 그렇게
큰 전투가 있었다는
것이 거짓말만 같이
느껴진답니다.

뭐, 그 뒤로
트룩 대는
미노그시아에서도
수위를 다투는
실전 부대로
알려져
츠츠츠츠츠츠
이 녀석
치치치
삑삑
삑삑
미노그시아
각지의
AP 기사들이
연수를 오는데,
실제로 여기
와보고서는…

너무 느슨해
김이 샌다는
기사가
많아요….
어째서
~~?
또
콜러스 군도
만만치 않게
느슨하다고
할까요….

그런
가요….
고오오오오오오

앙금이 있던
두 나라의 군이
이렇게
함께하다니
신기하기도
하지요.
오?
저 누님,
17권 연속
등장이잖아
바가 하리
탈래~?
응~?
너무 커서
무서워—
엄마—
앗,
아이샤
공.
⇦ 느슨한 녀석들

체커로는 이상이 발견되지 않았는데 말이죠….
온 지 얼마 되지 않아 조정이 꽤 필요할 것 같네요…. 복안(複眼)이 좀 이상한걸요.
휘우우우우우우
츠오오오오오
쿠오오오오오오오
삐익
슈-웅
슈-
슈-
바이마르 SR-2의 최신 블록 이군요.
쉬이이이이이
보정에 또 보정을 하는 것보단 안구 유니트 레일의 교환이… 앗!
떨어졌다…!
우~우
철커덕
상상을 초월하는 콜러스 파티마의 정비력
AF의 보정으로 만회할 수 있을 것 같기는 하지만…
우측 제3복안의 중성자 빔의 광축이 틀어져 있어요~ 오오오~.
부들 부들
후들 후들
빌드 님, 역시 틀어져 있어요…!
두두두두두두
연합, 추축 양쪽 모두 더 이상의 전역 확대는 리스크가 크니까….
3036년 남부에서의 전투 이후 큰 전투는 없는 상황….
옛날에 소프 님이 가르쳐주신… 눈알 체~크
호에?
부들 부들
끙차아아아아아아

콜러스 동복⇧

그래도… 전투가 없는 기간이 오래 계속되면 점령지 이외 지역 사람들은.
츠오오오오

예, 전투가 없는 기간은 곧 많은 사람들에게 평안한 시간… 그건 확실하죠.
불필요하게 움직여 전투를 벌임으로써 전력을 소모시키고 전장을 늘리는 걸 사람들도 군도 바라지 않아요.

스바스의 군 본부는 점점 소극적이 되어 가는 의회와 국민에게 좌우되고,
성궁 란은 계속 침묵을 지키고 있으니, 어떻게 해야 해방을 향해 움직일 수 있을 것인지.

이 일시적인 평안, 점령된 지역과 사람들을 마냥 이대로 놔둘 수는 없어요….

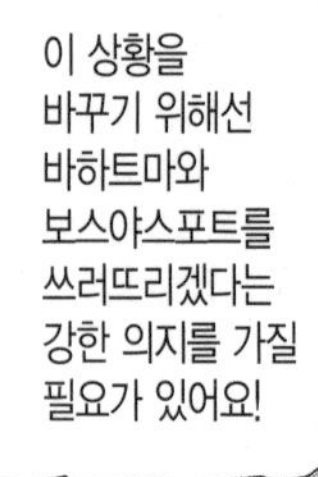
이 상황을 바꾸기 위해선 바하트마와 보스야스포트를 쓰러뜨리겠다는 강한 의지를 가질 필요가 있어요!

미노그시아인 모두가 그렇게 생각하지 않는 한 미노그시아의 해방은 이룩할 수 없겠죠….
저로서는 데프레 님께서 얼마 전 깨어나신 것, 그것이 '무언가가 돌아가기 시작한 것이 아닐까' 싶답니다….

촤아아아
두두두두두
광산 구역은 귀중한 GTM의 장갑재 '헬리오스 강(鋼)'을 중심으로 그 촉매나 귀중한 물질을 생성, 정련하는 곳으로서 전쟁이 일어날 때마다 막대한 이익을 얻고 있다.

츠오오오오
고오오오옹
두두두두두
고오-옹
=카만토 성= 암빌란 광산 서구
도마 연합에 의해 이곳에 모인 난민은 계약이라는 형태로 이 광산 구역에서 일하고 있지만, 실제로는 달아날 수 없는 노예나 마찬가지로 가혹한 노동에 시달려 목숨을 잃는 이가 끊이지 않는 형편이다. 주요한 채굴은 기계가 하지만, 그 보조와 보수, 점검 등이 인간의 일이다. 내부 공기 유출 또는 공조기가 멈추면 마이너스 150도의 행성 온도에 고스란히 노출된다.

츠츠츠츠츠츠
이 시대에도 채굴 보조로 쓰이는 것은 인간이다. 설비, 운영, 보수, 선별 로봇 등에 드는 코스트에 비해 훨씬 싸게 먹히기 때문이다.

부모가 없는 50세(※) 이하의 아동은 한곳에 모아 가장 간단한 청소, '보래 모으기' 작업을 시키고 있다.
(*지구 연령으로 12, 13세에 해당한다.)

여기가 연소조(年少組)의 '모래 모으기' 작업장이다!
츠고고고고고
컨테이너나 지면에 떨어져 있는 모래를 모으는 거야! 1명당 하루에 1kg이다!

츠츠츠츠츠
처억
안쥬! 귀는 이제 들리지? 넌 카고의 모래를 맡아라!
닦아낸 모래를 모아 목에 맨 양동이에 담는 거야!

고오오오오오
안쥬,
여기야.
우린
여기서
모래를
모아.

고오오오오오
이 토사
(레어메탈)
1kg에서
20g의 양자
제어 촉매가
채취되지!
GTM은 양자.
다시 말해
양성자나
뉴트리노의
운동 에너지로
움직여.

그
장갑 구동면의
양자 운동을
안정 활성화
시키는 촉매다.
굉장히
귀중한 토사지.
그러니까
떨어져 있는
모래 한 톨도
낭비할 수 없어.

ㅊㅊㅊㅊㅊ
반장! 안쥬가
익숙해질
때까지
봐줘라!
안쥬의
할당량도
네가 챙기고.

츠도도도도도도
예…
홀레
감사관님!

ㅊㅊㅊㅊㅊ

닥터에게서
내가 들어 있던
캡슐의 기록을
들었어….
나를 베이지에서
탈출시키고
안쥬 유라란
이름을 지어준…
아뎀 유라는…
누구?

내 곁에서
죽은 사람일까?
그리고 그 뒤
스테이션으로
데리러 온다고
했다는 사람은?
그 사람은
내 편이었을까?
아니면 추적자?
죽은 사람은
혹시 헤어드?

안쥬,
발의 천이
그러면 안 돼.
신발이
금방 벗겨져.
발 좀
이리 줘봐.
다시
감아줄게.

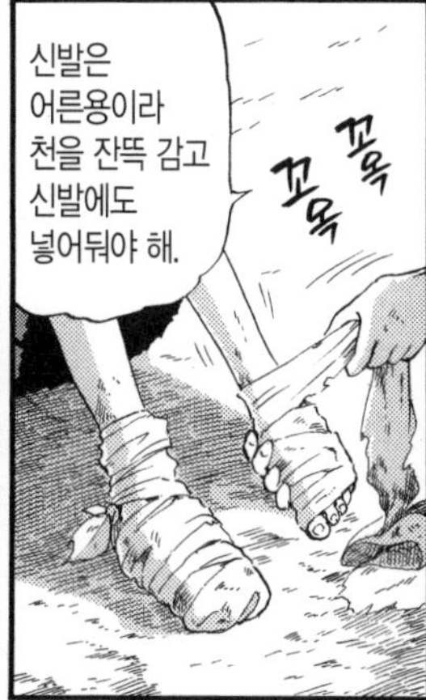
신발은
어른용이라
천을 잔뜩 감고
신발에도
넣어둬야 해.
꼬옥
꼬옥

좀 더
작은 신발을
찾아볼까?
고마워요,
반장.
군대에서는
발을 신발에 맞춰
신는 경우가 많다.
사이즈가 맞지 않는
신발은 발에 천을 감거나
신발에 천을 넣는 등
조정해 신었다.
특히 구(舊) 소련군의
여성 병사들은
장비 부족 때문에
남성용 부츠가 지급될
때가 있었는데,
방한을 겸해 천 조각을
발에 둘둘 감았다.

자—
오후
작업은
끝!
척
ㅊㅊㅊㅊㅊ
마지막은
레일로드 점검이다!
전자파가 새어 나와
자주 사고가
나니까 말이야!

시끌
시끌
또
자투리
야채
스프냐—.

와글
와글
여자애들은
이 테이블.
잠깐만
기다려.

식사 여기
놔뒀어.
스윽
달칵

헬리오스
결정
정련소는
맛있는 걸
먹는대.
고기~!
고기 먹고
싶어——!
거긴
어른밖에
일하지
못하잖아?
시끌
와글
와글
대전 초기엔
맛있는 게
잔뜩
나왔다던데.
식량 플랜트에서
일하면
몰래 실컷
먹을 수
있을 텐데—.
그 대신
사고로 엄청
죽었대—.
시끌
시끌
들키면
그 즉시
총살
코스~.

보스야스포트는 나를 노리고 무구미카 님과 아버님을 해쳤어….
숙주 콩소메
삶은 감자 2
비타민제 2
내 생존을 알게 되면 또다시 죽이러 오겠지. 내가 마그달이라는 건 절대 들키면 안 돼!

32년이나 내가 방치되어 있었던 건 내 생존이 알려지지 않았기 때문에?
와글 와글 와글
내 안쥬라는 가명은 추적자가 있다는 증거야….
…그보다… 아아… 헤어드! 부디 무사해야 하는데….

시끌
힐끔
시끌

스윽

덥석

아… 깨어나기 전에 데프레의 목소리가 들렸는데.
와글
그리고 또 한 사람… 어린 목소리가….
와글 와글
와글

누구 였을까… 그 목소리는….
응~? 넌~? 누구~? 눈 왜 그래—?

아아…! 예전이었으면 금세 이것저것 알 수 있었을 텐데…!
스코퍼의 힘으로 지금 누가 뭘 하고 있는지… 어디서 무슨 일이 일어나고 있는지 알 수 있었을 텐데…!
모르겠어! 아무것도 모르겠다고!!

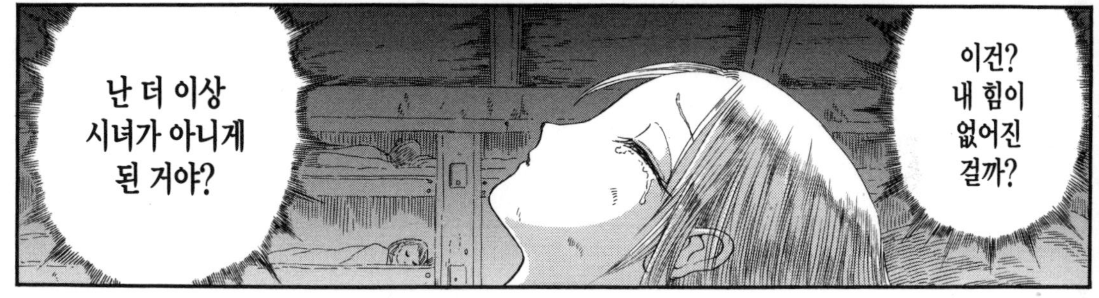
이건? 내 힘이 없어진 걸까?
난 더 이상 시녀가 아니게 된 거야?

이스트 하스하 발란셰 저택

오늘은 세 분 이시네요?

매번 죄송합니다. 다들 역시 정비는 발란셰 선생님께 받고 싶다고 해서….

미스 씨는 이공계 천재라 평범한 대화는 오히려 서툰 듯…….

예~~?
…시크… 뭐죠, 그게?
그런데 하이트 씨. 오늘부턴 밖에 계시지 말고 집 안에 들어와 묵으시는 게 어떠세요?

말도 안 됩니다!! …아, 아니!
기쁘긴 하지만 그럴 수는! 저…!

리리리리
…….

링
링
리리리리
예, 들립니다.
…….
예? 새틀라이트 모드로 저택의 상황을 리얼타임으로?
링
링
링
…….
알겠습니다. 저택의 모든 카메라를 공유하겠습니다.

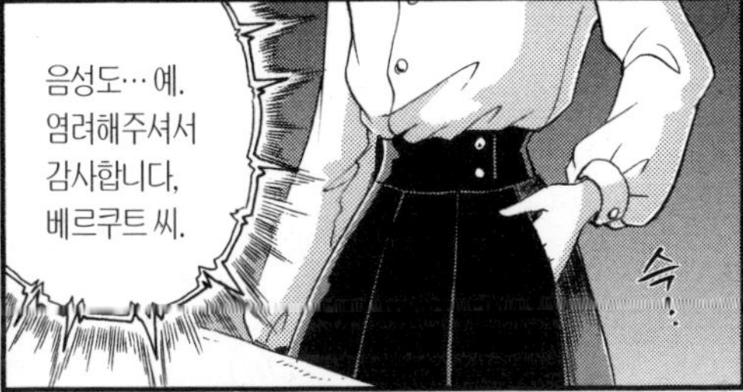
음성도… 예. 염려해주셔서 감사합니다, 베르쿠트 씨.
슥…

삑
삑

본관이 아니라도 뒤쪽 별채가 비어 있는데요?
아니… 말씀은 감사하지만… 저….
그…그보다… 전부터 쭉 생각하던 겁니다만….
예?
뚜벅
그… 그게….
뚜벅

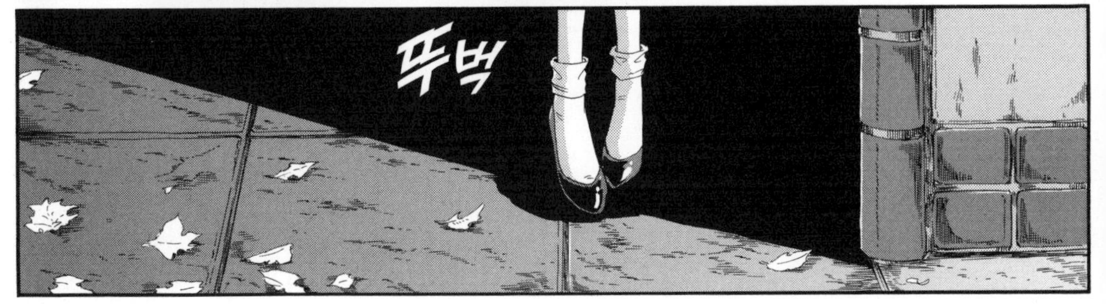
뚜벅

아니, 선생님이 쭉 란에 가 계시느라 저택이 계속 비어 있는 건 다소 안전상 좋지 못한 것 같다고나 할까….
이 저택이 워낙 넓다 보니… 선생님에게 무슨 일이라도 생긴다거나,
그게… 저… 폐가 된다면 죄송한 말씀이지만
저… 선생님의 경호… 랄까,
…그… 그래서….
문지기든 뭐든 좋습니다! 바하트마 일은 그만둘 테니까요!!
선생님을 지키고 싶어서! 이것저것 걱정이 된달까, 힘이 되어드리고 싶습니다!!
죄송 합니다! 우하──!!
…아니, 내가 무슨 소릴 하는 거람!
지킨다니 누구를? 엄마를?
후욱

지키는 건
나거든?
엄마한테
아이를
낳게 하는 건
네가 아냐.
나거든….
=검성 마키시
BOTH 3062=

어…
엄마…?
…라니…?

아!
그렇군요!!
하하핫
발란셰 님은
파티마에게는
어머님이시죠.
파티마
신작인가요?
그런데 옷이
좀 큰 게?

콰악

갸웃…
음—?

퍼억
!!

촤촤촤악
우왁!!

? ? ?
어라?
방금 그건…
평범한
공격인데?
못 피해?

그냥 '무수
(無手)'로
밀친 것
뿐인데도?
스윽

잠깐….
어?
내가…
무슨…?

후욱
뽀각
크악!!

얘…
이러고도
기사야?

덥석

우직
뿌드득

끄아
아아!!
뿌지익

마키시!!
그만둬!!

콰악

콰드윽

우…
아…
아….
우…
우…!

운다—
얘—.
머리를
뽀개서
뇌수를
푸화~~악!

콰악
죽—어—
우후후~.
꿈틀

후욱
아!!

이거 놔! 아우크소, 재 죽일 거야——!!
콰아아악
안 돼요!! 마키시 님!!
버둥버둥
뿌드득

아~~앙! 방심 했어~!
투욱
마스터라도 저의 몸통 조르기에서 벗어나실 수는 없었거든요!

뿌드득
우!

아우크소 바보~! 어깨 빠졌잖아~!!
내가 자기한테는 절대로 손 안 댄다는 걸 알고서~ 비겁해~!!

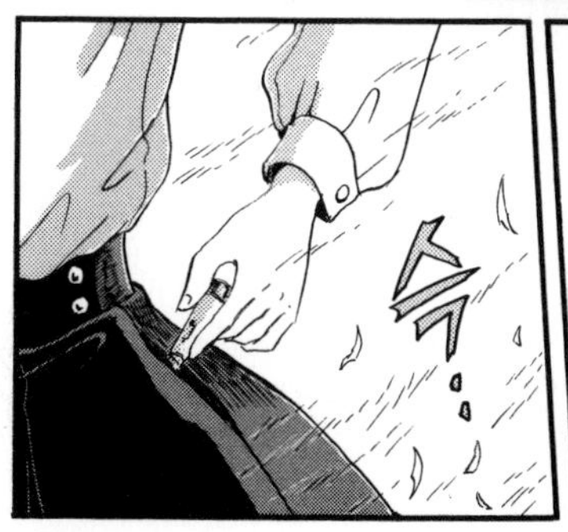
슥

푸욱
슈우우우우우
!!

덜컥

삐빅
대체 이걸 몇 번을 쓰는 건지….

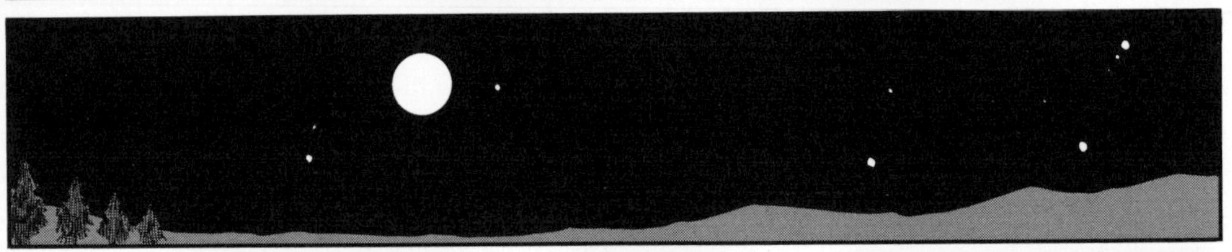

접합은 끝났어….

쳇— 안 죽은 거야—?
바하트마 기사는 죽여도 되는데—.

마키시!! 몇 번을 말해야 알겠니!!
카스테포에서도, 란에서도, 죄 없는 기사를 다치게 하고서!!

하이트 씨는
내 친구란
말이야!!
부탁이니까
가지고 놀듯이
사람을
죽이는 건
그만둬!!

살인 병기
인데….
난…

우우….

이거
뭐야─?
잘그락

근데─
아우
크소….

부탁
이야….
그만둬
….

헬리오스 초강(超鋼) 와이어라니 너무하는 거 아냐?
뿌~~~우
나도 이건 못 끊어~

장난 못 치시게 묶어둔 거예요! 하이트 님이 무사히 가실 때까지!
1초도 안 떨어질 거예요!

엥──! 화장실도 같이 가?
그럼요!
목욕은~!
항상 같이 하시잖아요!
어차피 아직 밤에 혼자 화장실에도 못 가시면서요!
우── 그랬지─….

그럼 아우크소, 이거──.
걔 피로 더러워졌어─.

아우크소가 지금 입고 있는 거 줘.
원피스도 양말도 더러워졌어─.

예. 잠깐만요, 벗을게요.
나중에 또 채워둘 테니까요.
딸깍

우후후─.

마키시 님은 확실히 초제국의 힘과 소양을 갖고 계셔…. 하지만…
와─아, 아우크소 냄새──.
킁킁
너무 좋아─.
그 힘도 풍모도 내가 아는 나칸드라 스바스 님과도, 마스터인 카이엔 님과도 달라.

마키시 님은 자기가 마스터와 미스 님의 유전자에 아버님의 프로그램을 더해 내 자궁에서 만들어진 존재라는 것을 알고 계셔.
하지만… 뭔가가 걸려… 이 모습은….
그리고 왜 내 냄새가 묻어 있는 옷밖에 입지 않으시는 걸까…?

그 디바이스의 마커가 파란색이 되면 완치되신 거예요.
삑 삑 삑

며칠 뒤…

큰 폐를 끼치고 말았네요…. 그 아이는 특수하게 태어난 아이라….
죄송 해요….
정말 죄송해요, 하이트 씨….

죄송합니다…. 저… 저… 선생님을 지키고 싶다느니 해놓고…
또 폐만 끼치고… 저도 제가 한심합니다.

정말 죄송합니다….

너무
좋아….
아름다운
엄마.
엄마….

엄마의 마음을
갖고 놀아놓고
아무것도 안 해준
망할 자식…
카이엔.
엄마는
죽어버린
그 망할 자식의
아이를
원하는 거야!

저런 자식들이
엄마한테 또
꼬이기 전에….
엄마가
카이엔이
해주길
원했던 걸
잔뜩….
그러니까
내가
해줄 거야….
카이엔의 피로
만들어진
내가….

이스트 하스하 국경
슈르르르르르르

잠깐 뭐 좀
사 올 테니
기다리세요.
예.

이대론
안 돼,
글러
먹었어.
한잔해야지
도저히
안 되겠다고…
젠장.
뚜벅
뚜벅

이봐!

너 말이야—
파티마를
실어 나르는
중이지—?

'선' 아직 안 봤지?
요즘 겨우
파티마의 생산이
늘어나서 말이야—.
아니~
파티마가
줄어들면 우린
일이 없어서
큰일이거든.

이…이거,
브로커다.
아니…
이 아이들은
우리….

놔두고
가시지!!
그런 부상으로
우리랑 한판
해보게?
응?
값은
시세대로
쳐줄게.
퍼억

스륵

우왁!
바하트마!
어?

죄송합니다!
바하트마
분이셨군요!
아니~
완전 헛다리
짚었지 뭡니까.
팔, 쾌,
쾌차하시길!
그럼
이만!
멍
? ?
거참~
저희도 바빠서
그럼 이만,
살펴 가십쇼!!

누구야? 약해 보인다고 한 녀석이?
멍청아— 저런 대단한 재생 디바이스를 단 녀석이 보통내기일 리 있냐고~!
응…?

이 마크를 보고 쫄았어….
스윽
이 디바이스도 대단한 거구나… 역시

자… 잘 나가 잖아! 나도!
오~~옷!
뭐야! 완전 잘 나가네!!

어머—.
도와주지 않아도 괜찮았나 보네.
우오~~옷 우오오오—

뭐— 어떤 의미론 저 녀석도 바하트마에서 유명인이니까 말이야.
얼빵 하기로….

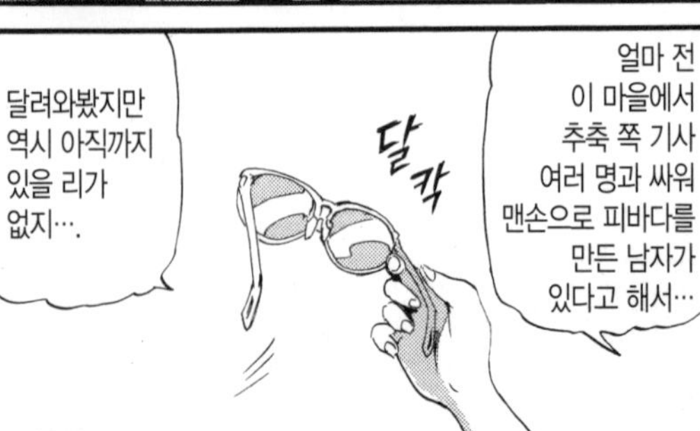
얼마 전 이 마을에서 추축 쪽 기사 여러 명과 싸워 맨손으로 피바다를 만든 남자가 있다고 해서…
달칵
달려와봤지만 역시 아직까지 있을 리가 없지….

그 남자,
추축 각국에서
지명수배되기
시작했어….
역시
쫓아다니는 게
아니라
갈 만한 곳에
미리 가서
기다려야지!!
카스테포
일대라면
바키시티,
왁스 트랙스
전황이
한가해
계속
비번이기도
하니까~
GERUGG MAP
정도
려나!!
파앗
절대
놓치지
않아!!
이 미니스커트&
니하이의
신 필살기로
한 방에!
무조건 찾아서
내 부끄러운 꼴을
본 책임을 지게
할 줄 알아!!
부웅

기다려~
마이
달~링!!
이 소녀의 향후 행동이
마로 바노내선 종언의 계기를 만들게 된다.
또한 그녀도 자신에게 일어날
상상을 초월하는 지옥을 알 리 없는…
참으로 '가엾은 아이'였던 것이다….
욘
구~운!!
룬
루~운
폴짝
폴짝

=카만토 성=
암빌란 광산 서구
동서남북의
에어리어로 나뉘어
10만 명 이상의
난민이 일한다.
4개의 구역은 각각
서구와 남구가 채굴,
동구가 정제와 정련,
북구가 제조를
담당하는 식으로
나뉘어 있다.
츠고고고고고
휴우우~
휴~웅

애 못됐어!
반장을
독차지하고
있잖아!
ㅊㅊㅊㅊㅊㅊ
널 봐주는 만큼
반장이
자기 작업을 못 해서
따로 남아 모래를
모은단 말이야!

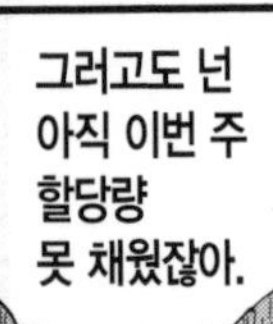
할당량을
못 채우면
휴일에도
작업이야!
츠고고고고고
그러고도 넌
아직 이번 주
할당량
못 채웠잖아.

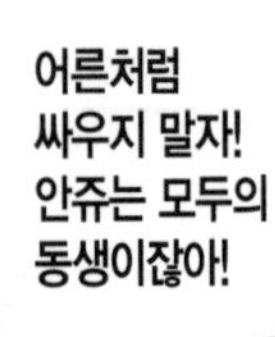
관둬!
동료라고!
똑같이
부모님이 없는
동료잖아!
파앗
어른처럼
싸우지 말자!
안쥬는 모두의
동생이잖아!

다 같이
도와주자!
약간만 신경
써주면 돼!
안쥬는 눈도
안 보이잖아.
일을 못 하면
'처분'돼!

내가
안쥬 손
잡아줄게.
나…
나도…!

안쥬가
못 하는 건
도와주자!
응!
가끔
친절한 어른이
모래를 좀
남겨주잖아,
그것도
안쥬 주자!
츠고오오오오오

츠오오오오오오오..
뭐야… 의외로 잘 지내고 있잖아….
휴ー웅

홀레! 이상한 움직임은 없나?
츠고오오오오
뚜벅

저번 주 북구에서 공기 유출 사고로 3명 정도 죽었다.
그것을 계기로 반란의 움직임이 있어서 말이야. 조심하도록.
츠츠츠츠츠
고오ー옹

스윽
어린애들을 주의해라.

어린애가 이만큼 있으면 개중에 기사의 힘을 가진 녀석이 나올지도 몰라….
츠츠츠츠츠츠츠
바로 나 같은 난민 출신 기사가 말이야…. 이상한 꼬맹이가 있으면 알리도록.

아… 예…! 기사님!

아아… 그리고 동구의 소장이 말이야, 시중들 아이를 찾더군.
적당한 아이가 있으면 부탁 좀 하지. 언제든 괜찮으니.

예! 대위님! 맡겨 주시길!
처억

흥! 어차피
명부에서 보고
찍어뒀을 테지?
따까리 장교
주제에!
안쥬는
상등품이야….
누가 눈독 들이지
못하게
난민 등록도
해두지 않았어!
더 위쪽
녀석들에게
써먹을 미끼지!
내가 여기서
자유를 얻기
위해서 말이야.

홀레 녀석,
또 도마 놈들에게
아양을 떨고
있어!
같은
미노그시아인
이면서
배신자 같으니.

방금 그 기사,
북구에서
반발 집회를 하던
동료들을 10명 넘게
죽인 놈이야!
제길,
몇 명을
죽여야
성이 차는
거야?

홀레는 양심을
도마 놈들에게
팔아넘겨
감사관이 된
녀석이지.
게다가
어린애를 장교에게
팔아치우지 않나,
과자로 길들여
반란 정보를 입수해
고자질하지 않나.

북구 쪽
동료들도
그렇게
계획이 들켜서
당한 거야.
츠오오오오오오오
고오오오오
녀석의
움직임을
주시해!
그래!

작업 종료!
청소와 점검!
우우우
안쥬는 남아서
카고 마운트를
청소해라!
그러면 이번 주
할당량은
다 채우는 거다!

홀레 님,
저도 같이
봐주겠
습니다!
그래,
반장.
부탁한다.

자,
안쥬랑
나눠 먹어라.
잔업
보너스다.
ㅊㅊㅊㅊㅊ

당근과
채찍…
이랄까.
사탕 받았어!
2개씩 먹자
우와!

삐익
삐삐삐삐삐

콰앙

앗?

!!

부웅

그야 늘 엄마(야보)가 던지기&받기를 하고 그랬으니까

여기 같이 끌려왔던 우리 어머니는 작업 중에 다쳤거든.
ㅊㅊㅊㅊㅊㅊㅊㅊㅊㅊㅊ
그래서 다른 데로 보내졌는데, 우주선 도크 청소 중에 공기 유출 사고로….
하지만 거짓말이야! 실내의 공기를 멈춰서 죽인 거야!!

도마 놈들은 용서 못 해!
난 난민을 죽이는 도마의 기사가 되고 싶지 않아!
내 꿈은 검성 카이엔 님처럼 시녀님을 곁에서 모시면서…
슈우우우 우우 우우우
시녀님을 돕고 이곳의 모두를 구출하는 거야!!
반장….
이름이 뭐에요? 반장이라고밖에 몰라서….

내 이름은 아일.
아일 페르노아 라고 해.

=카만토 성=
전(前) SPK 대
기지 스테이션
ㅊㅊㅊㅊㅊㅊㅊㅊㅊㅊ

빅
빅
암빌란
남구….

해당 사항
없음….
빅
빅

NPO의
인권 조사원
아뎀 유라
라는 게
당신인가?

난민 수용
구역의
아동 학대
실태 조사….
뭐──
그럴싸한
이유로군?

헤어드
글로버
신관장 나리.

전(前) SPK 대
지대장인 내게는
정체를 감출 수
없을 줄 알면서도
온 거겠지?
부우우우우우우웅
당신이 도처의
난민 수용 구역을
조사하고 있다는 건
알고 있어.

난민 틈에
섞여 있기라도
한 건가?
마그달이 쭉
행방불명
이라면서?

더 이상
신관장이
아니야…
AP 기사도
아니고….

꿈틀
당신, 푼푸트 대신
마그달을
시녀 자리에 앉히고
다시 신관장으로
돌아가려는
속셈이지?

웃기는군!
그런 소릴 한 건
당신네
하스한트
뿐이었는데
말이야.
하스한트에서는
마그달을
'차기 시녀'라느니
뭐라느니
했었지?

우리도
미노그시아의
일원이라고…
그렇게
생각했었지.
…….

이 자식!
시녀님께 무슨
말버릇이냐!!

우리
SPK 대는
그런 사람들을
지키기 위해
하스하에서
이탈한 거다!!

한 번도!
한 번도
시녀는
이곳에 오지
않았어!!
그런데? 시녀는?
이 우주에 사는
미노그시아인의
존재를
알기는 했던가?

하스한트의 콜렉트는 손녀인 무구미카가 시녀가 된 것을 이용해 하스한트 중심의 정치를 강행했지.
그런데 다음 시녀도 또 하스한트의 마그달 이라고?!
그딴 건 미노그시아인 그 누구도 인정하지 않아!!

난민들은 고통받고 있어! 하지만 란도 시녀도 나 몰라라 하지!!
마그달 따위 알 바 아냐! 당장 꺼져!!
…할 지대장….
사과 하지….
변명밖에 되지 않겠지만… 시녀님은 모든 백성들을 생각하고 계심이야….
하지만… 미노그시아는 너무나 넓고…
너무나 분열되어 있어….
슈우——

얼마 전 구조된 소녀가
32년간 잠들어 있었다는 것을 그들은 몰랐다.
구조한 것은 도마였고,
그들은 소녀에 관해 무엇 하나 알려주지 않았다.

마그달은 아직 32년 전의 모습이고,
게다가 마그달은 난민 등록도 되지 않아
명부에도 실려 있지 않았다.

저 분위기론
또다시
허탕이었나
봐요….

쟈코!
필사적으로
아이를 찾는
어머니한텐
할 수 있는 건
최대한
다 해주는 게
도리지!

장하기도 해라!
저 사람이지?
쭉 아이를
찾고 있다는
사람이.
파앙

이마라
큰언니!!
엄마!
여긴 언제?

그래서…
도마도 그렇고
국가의 난민
수용 구역이나
광산은 간단히
리스트 같은 걸
보여주지
않으니까…
아뎀 씨라는
사람인데——
이번에 카만토의
암빌란 광산에
다리를 놔줬거든.
푸딩
푸딩

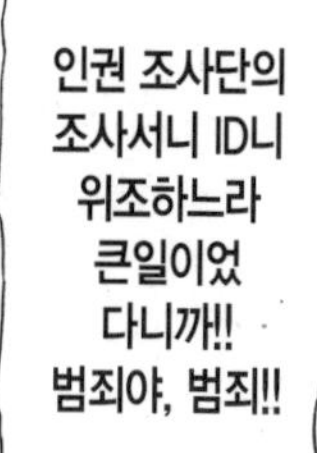

내 빈 틴,
산죠의 다이몬!
시장의 칼리오페에,
금강(다이아몬드)
님의 쿤까지
총동원해서!!
인권 조사단의
조사서니 ID니
위조하느라
큰일이었
다니까!!
범죄야, 범죄!!
떡 구워 왔어요—
콩가루에 설탕으로
할까요—
무즙에 폰즈로
할까요—
전혀
일은
안 했다.
빈 틴 언니
잔다—
쿠—울
코타츠에서
일은 무리예요
가짜
PASSP
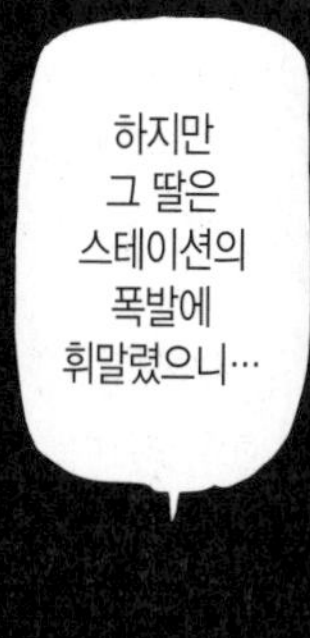
하지만
그 딸은
스테이션의
폭발에
휘말렸으니…

실제로
생존해
있기는
어려울 것
같지만….

저
아뎀 씨가
찾고 있는
아이….

폐하의
말씀에 의하면
아직
살아 있어!!
큰언니,
혹시 한바탕
하실 건가요?
당당하쇼
보스야스포트에게
들키면 안 되니까
생존에 관해
이야기할 수는
없지만…
엄마,
푸딩 드실래?
폐하의 명이야.
도와줄게요,
헤어드
글로버 씨….
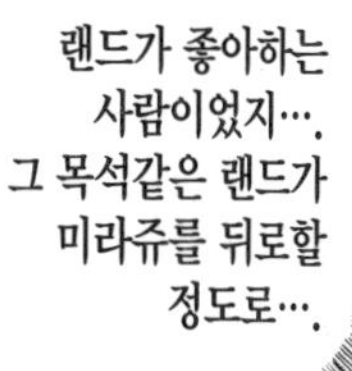
랜드가 좋아하는
사람이었지….
그 목석같은 랜드가
미라쥬를 뒤로할
정도로….
그걸 위해서라도
당분간
이오타 우주
기사단은
쟈코한테서 내가
다시 맡아둘까.
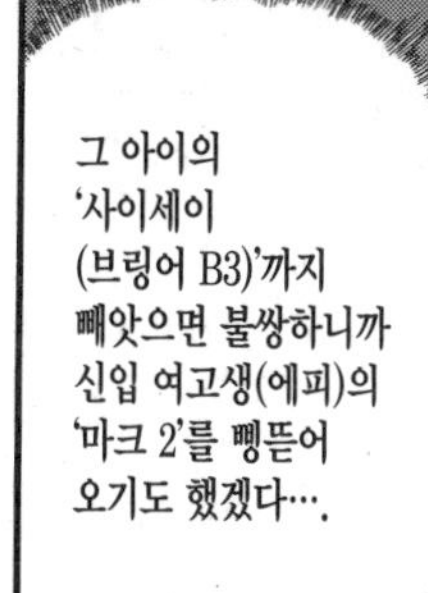
그 아이의
'사이세이
(브링어 B3)'까지
빼앗으면 불쌍하니까
신입 여고생(에피)의
'마크 2'를 뻥뜯어
오기도 했겠다….

보오스 성 주요 국가와 위치
아톨 성도왕조 (3159년 이후)
노스 카스테포
달리 키아
베라 국
이스트 하스하
바하트마 마법제국
성궁 란
트리스트 미스의 저택
연합수도 스바스
미노그시아 연합
나카카라 쿠루루 왕국
카스테포
가마산 공화국
웨스트 카스테포
코르나 대지
메요요 조정
센트리 마그마가 뒤틀어버린 지형
코넬라 제국
=보오스 성=
웨스트 카스테포 남부
코르나 대지(臺地)
성궁 란의 남쪽에 있는 웨스트 카스테포 지역은 그 대부분이 황무지와 사막으로, 유용한 자원도 없고 수맥도 빈약한 까닭에 도시나 마을이 거의 없는, 사람이 찾지 않는 곳이다.
휘오오오오오오오
고오오오오오오오오오

카아앙
부이이이이이이잉
콰앙

촤아악
치잉 치잉 치잉
촤촤촤촤촤

휘이휘이휘이
'린도우'!!
방금 그 소리,
오른팔에 충격이
제대로 왔어!!
미안하군!
좀 지나쳤나?
키잉
키잉
제길!
저 녀석,
데모르를
정말로 박살 낼
기세였어!

삐삐삐
괜찮습니다!
스윙은 손상
없습니다!!
링링링
잘 흘려
내셨습니다,
마스터!!
쿠웅

부오

콰오
후오오
후오오오옹
부오오
파앗
츠도도도도
쉬이이이이이이이이이이이
츠오오오오오오오오
휴르 휴르 휴르
훈련 종료!! 데모르의 내구 테스트, 여기까지!! 호우라이 전투 정지!!
야볼! 알겠다!!

재미있군요. 제가 설계한 GTM 호우라이와
역시 제가 만든 파티마 '린도우'가 겨루다니.
후오오오오오오오
휘이이이이이이잉
츠츠츠츠츠츠츠

AF 탑재형으로 변경한 데모르 입니다만
아직도 여기저기 재검토가 필요하지 않은가 싶습니다.
츠츠츠츠

아뇨 아뇨, 그럴 필요는 없을 겁니다. 멋진 움직임인데요.
GTM은 기사의 뜻대로 움직이는가, 중요한 것은 그것뿐이니까요.

츠츠츠츠츠
우하하! 그런 점이 짐과 마음이 딱 맞는군.
다이아 몬드 박사.

발터 박사! 데모르라! 좋은 GTM이 아닌가!
휘오오오오오오오
우리 메요요 조정이 자랑하는 호우라이의 돌격을 어렵잖게 견뎌냈어! 좋아, 아주 좋아!!

크라켄벨 대제께서 이번 내구 테스트에 조력해 주시고…
게다가 원래는 메요요 쪽으로 국가 할당된 신규 AF들까지 양보해주신 점, 어찌 감사를 드려야 할지….

같은 카스테포 주변 국가끼리 정 없는 소리 말게.
스윽

휴르르르르
데모르가 모두 AF 탑재형이 되는 바람에 AF가 부족했을 테지?
성장에 20년 이상 걸리는 AF의 생산이 겨우 수요를 따라잡았어.

츠오오오오
개전 이후 줄어든 AF의 수는 GTM처럼은 보충할 수 없지.

AF가 참전 중인 각국에 우선적으로 할당된다고 해도 AF가 기사를 인정하지 않으면 반환해야 해….
츠오오오오오오오
상성이 맞지 않은 파티마는 비공식적으로 '선'을 봐서 내밀하게 교환하거나 불법 브로커를 통해 팔거나….

휘잉 휘잉 휘잉
데모르는 바킨 라칸의 호우자이로나 바가 하리와도 싸웠다지?
어떤가? 발터 박사. 메요요와 코넬라, 앞으로도 공동 훈련을 계속하지 않겠나?

그… 그건…
제 소견 만으로는…. 하지만…

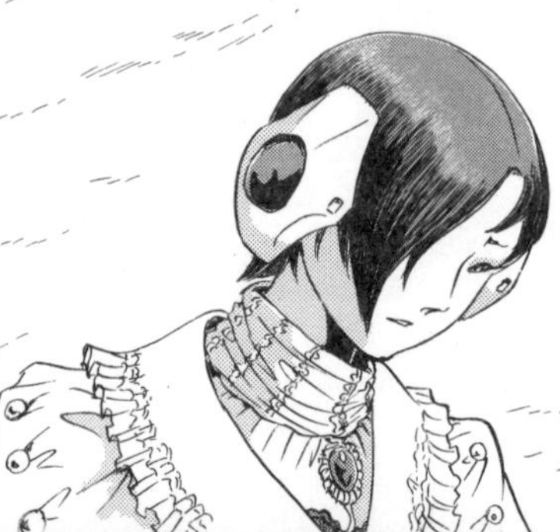
저는 파티마를 배제하고 싶다는 신념으로 데모르를 만들었습니다만… 현실을 뼈저리게 깨달은 뒤…
츠오오오오오오
오오오오
제 신념을 굽히고 AF 탑재형으로 재설계하게 되었지요….

대제께서 베풀어주신 후의 덕에 다이아몬드 박사님과 만나 뵙게 되어 세계가 한층 더 넓어졌답니다….
고오오오오
하지만 자기 신념을 버림으로써 더 큰 길이 보이게 되었다고 저는 생각합니다.

데모르에 흥미를 느껴 와보지 않았으면 알지 못했을 것들이 잔뜩 있었습니다.
그건 저 또한 마찬가지입니다. 설계만 했을 뿐 실제로 완성된 기체의 모습은 본 적이 없었는데요.

쉬이이이이이이이
이번에 온 것은 A.K.D.에 2기 납품 차 온 것이기도 합니다만….
이 호우라이… 콜러스의 바이마르, 바하트마의 카바겐…. 모두 미노그시아에서 싸운 제 아이들….

거봐, 뉴. 와보길 잘했지? 대제님 쪽에 거트 블로우만 납품하고 땡일 줄 알았는데
고오오오오
코넬라 쪽에서도 주문이 잔뜩 들어와 땡잡았지 뭐야!

그런데 대제님, 그 목에 거신…? 서민적인 것은? …네기 우동?
응?
아…아아 이, 이건 말이야
싸우지 말자는 증표 같은 거지, 하하하하하!
우와! 들켰다!!
무엇인지요, 그것은?
우동? 우동 가게에서 먹고 갈까? 그러지 마, 뉴 가자, 가자
메요요의 대제님도 참 재미있는 분이시군~
비밀 병기 인가요?

부글
부글
2기의 대형 헤드 캐퍼시터를 지닌 내 새로운 딸이야.
'델타 벨룬'.

오옹
이 아이는 아우크소 너와 마찬가지로 기초 특성 영역이 일부 비어 있어….
부오오오
코오오오오
네 안에는 '포커스 라이트'가 있지…?

여러모로 생각을 해봤어. 포커스라이트만이 가진 '특성'…. 성단의 모든 GTM을 강제 리부트시킬 수 있는 그 특성….
코오오오오오
성단 최초의 파티마 포커스라이트는 존재하는 모든 GTM을 신파이어로부터 시스템 변경시킬 필요가 있었지.
그 때문에 현재에도 모든 GTM은 무조건 네 명령을 받는 리부트 프로그램을 가지고 있어.

마스터 파티마 (포커스 라이트)의 귀중한 특성.
하지만…
난 네가 아우크소로 있어줬으면 해. 그건 나뿐만이 아니라 분명 아저씨도….

널 남기기 위해 포커스라이트를 이 아이에게 옮길 준비를 해도 될까?
이건 아마테라스 폐하의 제안이기도 한데.

예….
후오오오오오

마키시
…?

쭉 생각 했어….
엄마를 빼앗기지 않을 방법….
그런 쓰레기 기사, 죽여버릴 거야….

예쁜 엄마. 아름다운 엄마.
엄마는 내 거야….

퍼억
!!

안 돼요! 마키시 님!!
링링링
처억
쉬익

!!
퍼어억

움직이면 엄마가 다쳐!
아우 크소!!

파악

날 마음대로 해도 괜찮아! 널 만들고 낳은 건 나!! 네 모든 걸 받아들일게!!
뭘 해도 괜찮아, 죽여도 괜찮아! 하지만 넌 아직 기사가….

…아?
아?…
죽…
여…
꿈틀
죽여…도
괜…
찮아…?

큰일이야!
폭주하기
시작했어!
링링
링링
아——!
죽—일—
래——!!
아하하
하하!!

쨍그라아앙

호읍!!
꽈악

부웅
크아
와장창
부우
아!!
휘익
덥서억

어라
—?
이런 형식으로 인사를 드리게 되어 면목 없습니다, 발란셰 박사님.
다, 당신은?
추우~욱
아프 잖아~~. 이거 놔~~.
마키시 님의 폭주를 순식간에 멈췄어!!
아우크소의 송신을 통해 쭉 여기 상황을 살피고 있었답니다. 아마테라스 폐하의 명령으로요.
미라쥬 기사단 에이스 넘버, 초제국 검성 매드라 모이라이입니다!

검성? 나보다 강해? 그럼 나 있지!
카이엔보다 강해! 그러니까 나도 검성이야!!

바보냐! 너 같은 검성이 어디 있어!

어째서~ 우—! 검성—!
이 녀석, 내 공격을 받고도 쌩쌩하잖아. 어째서?
버둥
버둥

아아… 이 녀석, 초제국 기사와 같은 유연하고 강인한 육체를….
지능도 높아요, 파티마 처럼.

당분간 너랑 같이 있을 건데…
잘 들어! 발란셰 박사님에게 좀 전 같은 짓을 했다간…

꽈악

우왁… 헉!!….
요 거시기를 땅콩째 확 뜯어버릴 줄 알아!!
꽈악
꽈악

부들 부들
😱…. 네…에…에. …히…익….

풋고추보다도 작네, 이거…
으~음, 이래선 무리지?… 연령적으로도….

※반소수:두 소수의 곱인 숫자. 소수와 마찬가지로 무한히 많기 때문에 암호 코드로 쓰인다.

숙제 다 했어… 여기.
잘하셨어요. 그럼 오늘은 페더 본위제의 역사예요.

본래 금을 포함한 중금속의 합성 코스트가….
베르쿠트도 왔다

그런데 아우크소의 냄새가 묻어 있는 옷밖에 입지 않는다고요?
마키시는 자기 출생에 관해 알고 있는 겁니까? …그러니까….

저 아이는 태어난 직후 란의 푼푸트 님 밑에서 컸어요.
푼푸트 님은 마키시가 어느 정도 크면 출생에 관해 이야기해주라고 하셨죠.

자기가 어떤 존재인지, 어떻게 태어났으며 어째서 강력한 힘과 지능을 지녔는지,
경제는 잘 모르겠어ー

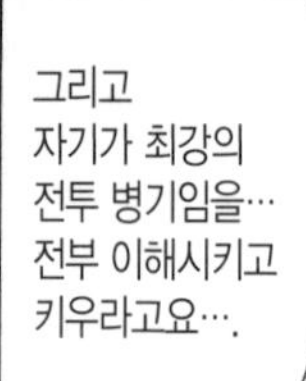
그리고 자기가 최강의 전투 병기임을… 전부 이해시키고 키우라고요….

폭주할 때마다 푼푸트 님이 멈춰주셨고… 간신히 차분해져서 이리 데리고 온 건데요.

하지만… 어젯밤에는 몇 년 만에 폭주를… 도대체 왜…?

초제국 검성의 힘과 육체에 더해 파티마의 지능을 가졌다라….

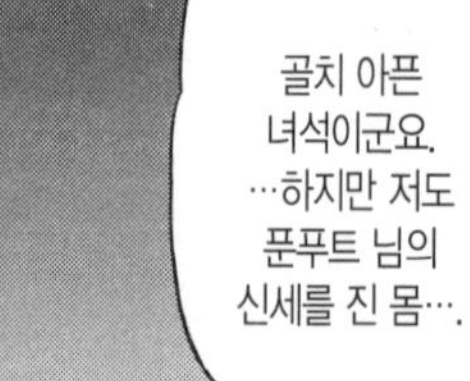
골치 아픈 녀석이군요. …하지만 저도 푼푸트 님의 신세를 진 몸….

예?

마키시의
저 얼굴…
할아버지의
얼굴인가….
…….

확실히 마키시는
카이엔의 피를 이어
이 시대에 태어난,
새로운 초제국
기사로군요….
카이엔의
아버지 말입니다.
초제국 검성
기사단의
리더이자
최강의 기사
아살람 스킨즈.

스바스
시
AP
기사단
본부….

예?
아! 맞다,
그러고 보니까!!
아마테라스
폐하께서
그러셨지!

뭐,
카이엔을
닮은 건
둘 중
어느 쪽이냐
하면….

이~리~오~너~라.

데프레와 대면시키는 거군요….

따라오실 필요는 없었는데요. 괴롭지 않으시겠습니까?

마키시에 관해선 함구하고 있었죠…. 하지만 언젠가 데프레와 대면시켜야 한다고 생각은….

외출이다~. 기사단 본부다ㅡ. 강한 녀석 잔뜩 있다ㅡ.

그런데… 마키시, 그 옷은 뭐지?
외출용!! 아우크소의 데카당 스타일!!
파티마 같지?

오늘은 마침내 속옷마저도 한 벌 빼앗겼어요….
그래도 부츠랑 장갑은 무리였지만요, 사이즈가
아~~! 요 발랑 까진 꼬맹이!!

꼬옥

뭔데?
이 손은?
좋아 좋아!
매드라 좋아!
무지 좋아!!

검성 줬으면
좋겠으니까
말 잘 들을게!

그리고 매드라는
내 첫 경험
상대니까….
꽉꽉 주물렀어!!

뭐어어~어?
마키시!
그건
그런 게….
아~!!
몰라—!
가자!!

뭐라고~!
기라는
회의 중—?
그 대머리가
의장 노릇을
다 하고,
놀랄 노 자
라니깨!!

응?

마키시…
어디
갔지?
또각
또각
또각

응?
이봐, 저기
어린애가.
파티마?
…는 아닌 것
같지?

차아악
스바스 대
맞지?

퍼억

쉬익
이 녀석!!

반응이
빨라.
망설임이
없어!!
타앗
탁 탁
무슨
일이냐!!
기지
내에서!!

쉬쉬이약

퍼억
파얏

슈우우우우
우웅우웅우웅
뭐야,
이 녀석!!
좀 놀랐네

어라…?
튕겨냈어?
연발은 위력이 떨어져
그렇구나…
이 레벨의
기사한테
원격 공격은…

간격이 너무
멀어서….
콰악
하웃?

미안하군,
AP 기사
여러분.
정말 면목
없네….
냐아~.

네
특징 1.
강하기 때문에
언제든
커버할 수
있을 줄 알고
뒤가
텅 비었어.

오래 기다렸나, 하리스.
꽤나 분위기가 변했네만…. 게다가 발란셰 박사님까지 동행하시고.

그래, 이런저런 일이 있었거든. 지금은 본명인 매드라 모이라이로 불러달라고.

전(前) 스킨즈 대 지대장이었던 귀공에 관해선 여러 소문이 돌았습니다만…

필모어 제국 원로원에 한때 소속되어 홀로 수많은 전과를 올린 '장미의 검성' 매드라 모이라이.
역시 '피킹 하리스'와는 동일 인물이었던 겁니까….

청소부 역할이었던 귀공이 참모가 되다니, 나도 깜짝 놀랐다니까.
뭐, 나도 지금은 아마테라스 폐하의 기사이지만 말이야.

그럼 미스 매드라라고 부르면 되려나?
그래서, 그 아이는? 아까 한바탕 소동이 있었던 모양이던데.

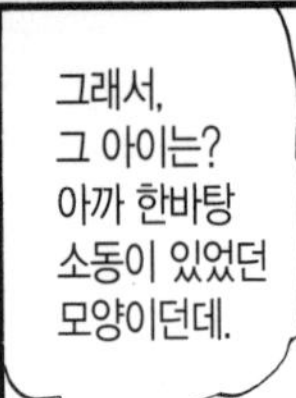

엄마…, 내 본명 여기서 말해도 돼?

제 아이 입니다…. 마키시 발란스 카이엔….
카이엔 님의 아이죠….

켁!! 역시 카이엔 공, 참으로 철두철미한 분이셨군요!!
우리의 아이돌 발란셰 님까지
아이돌? 나?
지금 이게 감탄할 일이야, 기라? 맞는다!!

앗…

뚜벅

데프레 비트
카이엔
입니다,
매드라 님….
그리고 그쪽은…
아우크소의 옷을
입고 다니지 않나,
AP 기사단을
습격하지 않나…
어디서 나타난
바보지?

데프레
님!!
됐어!
바룬가.
벌럭
뭐야!!
이 녀석의
생각은
왠지 반쯤은
알 것 같거든.
끼어들 것
없어.
이 자식…!
카이엔이랑
닮았어!!
엄마를
갖고 논
카이엔이랑!!
망할 자식!!
아버님께
그게 무슨
망발이냐….
아버님께선
그런 분이 아니셨다.
아버님에 관해
잘 알지도 못하는
주제에.
미…
미스
매드라….
이 일은 내게
맡겨줬으면
좋겠군, 기라.
치명상이
될 것 같으면
내가
멈추겠어.
그…그럴
수가!
사람을 물려라!
중정엔 아무도
들이지 말도록!

마키시라고 했나. 분명히 말해두지만 아버님께선 발란셰 님을 소중하게 여기셨다.
꼬~옥 안아주면 좋을 텐데? 미스~ 하고.
이 녀석, 마그달! 조용 못 해!!
너무너무 사랑하는 사람이라 오히려 못 건드리는 아버님, 귀여워~.
아버님께선 발란셰 님을 자기 딸처럼… 사랑하는 사람처럼,
쭉 따스히 지켜보고자 하셨던 거다.
그것은 이루어질 수 없는 일이었지만….

그게 어쨌다는 건데, 데프레!!

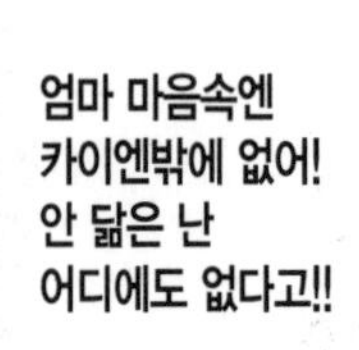
엄마 마음속엔 카이엔밖에 없어! 안 닮은 난 어디에도 없다고!!

내가 태어난 이유를 알기나 해? 난 말이야!!

난 카이엔의 아이를 어떻게든 갖고 싶었던 엄마가…
아우크소의 자궁을 빌려, 크롬 발란셰가 남긴 46번째 소체의 배아에…

카이엔이랑 엄마의 정보를 더해 태어난 파티마야!!
나한텐 너 같은 추억 따위 없어!!

어디 해보자! 데프레! 어느 쪽이 더 강한지!!
파앗
하지만 핸디는 둘게!! 난 맨손! 넌 검을 써도 돼!!

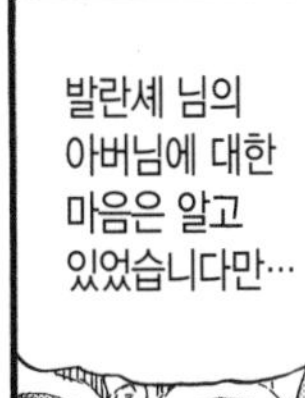
발란셰 님의
아버님에 대한
마음은 알고
있었습니다만…

…….

후후훗.
매드라,
얘를
죽여버리면
검성 줄래?

딱한
일이로
군요….
이것이
그 결과
입니까,
발란셰 님?

부글
데프레!!
이 자식!!

부
웅
후욱
부부웅

부웅
파앗
슈웅
!!
부웅
부웅

후후, 데프레는 마키시처럼 맞히기 위해 연타하는 것이 아니라…
위아래로 흔들어 마키시가 살짝 떴을 때 좌우 연타!

방금 그건 AP 기사라도 머리에 맞으면 끝장인 즉사 공격이지.
용케도 피했어…. 뭐, 방금 그건 머리가 아니라 귀를 노린 거였겠지만….

피차 소닉 블레이드나 분신을 쓰면 빈틈이 생기는 까닭에 근접 공방을 하고 있는 거지만…
두 분 다 파이팅~
파앗
부웅
둘 다 어린애라 충격파의 범위도 사정거리도 좁아. 나나 에나 님이면 수 미터 떨어져 있어도 머리를 부술 수 있을 텐데….

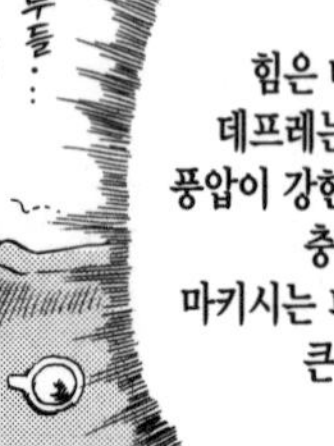

힘은 마키시가 위라도 데프레는 주먹이 아니라 풍압이 강한 손바닥을 써서 충격 범위가 넓어. 마키시는 피하는 움직임이 큰 만큼 불리하지.
부들
부들…
어린애들이 장난 아니군~
굉장한걸, 좀 전에 그건 나였으면 죽었어
요즘 몸도 녹슬었고…
기술을 알아도 어디에 쓸 줄을 모르는 마키시와,
아버지의 움직임을 알고 수많은 AP 기사의 대련을 보아온 데프레….

왜 이런 게
생각나는 거람…
그때는 가릴 수 있을 것 같았는데,
완전 홀랑 들추길래 가리는 것밖에 생각 못 했어…
운 하나는 더럽게 좋은 검성…
실제로 그 녀석은 무패…
꺄아~악
까꾸~웅
아직 가련한
소녀였던
내 스커트를
들췄을 때의
움직임과
같아….

하지만…
저 아무것도
생각하지 않는
본능만의 움직임은
그야말로
카이엔 그 자체
같기도….
쉬쉬이익
그런 데프레를
상대로
마키시는 저렇게
아무렇게나…
기가 막힐
노릇이군….

레벨이
높은 상대의
주먹을 흘려내지도
받아내지도,
검을 쓰지도
않을 거면
피할 수밖에
없어….
기사의
맨손 싸움…
상대의 공격을
손으로
받아내려다가는
팔째 산산조각이
나기 마련….

그럼!!
일부러~
물러나서~
허억,
허억…
허억…
짜증 나~!!
안 맞아~~!!

!!
파앗
두두두
원격
공격!!

푸확
!!
파앗
투파악

거기서 일부러 떠오른다고?!
아~!
퍼억

처억

거기까지!! 그만!

이 자식,
제대로
안 싸워!!

왜 그런
눈으로
봐?!
동정하는
거야?!
날 바보
취급하고!!

스윽

동생
이잖아?

…….
동생…?
…….

꼬옥

누님이 쭉 소식 불명 이야…. 네 누나 이기도 해.
누님인 마그달을 보스야스포트 에게서 지키는 게 내가 태어난 이유이자 역할이야.

마키시… 그걸 함께 거들어줬으면 좋겠어….

…어… 엄마를,
아까 같은 눈으로 다신 안 본다고 약속할 거야?

당연하지. 내가 잘못했어, 미안하다….
어쩐지… 나도 발란셰 님을 빼앗긴 것 같아 분했거든.

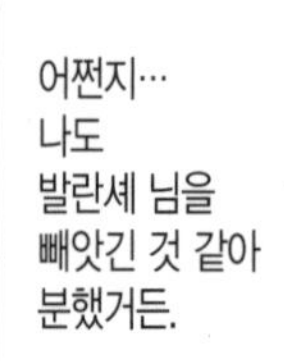

발란셰 님, 용서하시길. 저도 그만 감정적으로 굴어 죄송합니다….
스윽

고마워, 데프레…. 마키시를 동생이라고 해줘서….

…그럼 용서 할게….
데프레…, …형….

빙글
매드라, 나 일 생겼어. 누나를 지킬 거야. 여기에 있을래.

아니…. 그건 너무 결론이 빠른 게…! 잠깐!
발란셰 박사님? 이, 이걸 어떻게….
예에?

엥? 뭔 소리냐, 그게? 여기에?
응. 나, 파티마니까 그게 맞다는 거 본능적으로 알 수 있어.

하지만 마그달 누나는 눈이 안 보이게 됐단 말이야.
어디 먼 데 있어. 그러니까 지켜줘야 해.
뭐… 뭐라고요!!
아아…. 그때 그 누님의 목소리… 또 하나의 목소리는 너였던 거구나.
응, 더 이상 안 들리긴 하지만.

…………
그… 그럴 수가.
마… 마그달 님께서 살아…… 살아….

기라, 마키시가 저렇게 말하는데….

발란셰 님과 카이엔 공의 자제라면 아무 문제도 없지.
물론 미스 매드라, 귀공이 곁에 있어줄 경우의 이야기지만….

알았어…. 그럼 나도 미노그시아 연합에 가세하도록 하지.

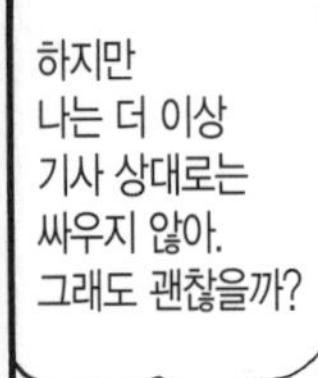
하지만 나는 더 이상 기사 상대로는 싸우지 않아. 그래도 괜찮을까?

그래… 마키시 공과 귀공 건은 그리 알지.
아우크소, 나 여기 있게 됐어――.

하지만 난 아우크소의 냄새가 묻어 있는 옷이 없으면 싫어―.
아우크소는 엄마랑 같이 있는 게 나은데….

그럼 제 옷을 보내 드릴게요. 하지만…

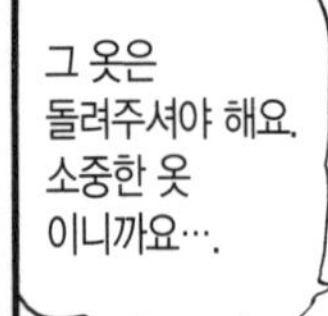
그 옷은 돌려주셔야 해요. 소중한 옷 이니까요….

알았어―. 그럼 갈아입을게. 그거 벗어―.
여기선 안 돼요….

아아….
마키시에게는 파티마가 필요하지….

하지만 자기를 파티마라고 하는 마키시가, 파티마를 들일 마음이 있으려나?
안녕하세요, 예? 머리카락요?
쿵쿵 쿵
어라? 어라-?
역시 아우크소랑 냄새가 달라-
그러냐- 콩코드의 냄새를 맡고 싶은 거냐- 좋다- 허락해주지, 형이니까 말이야- 응 하지만 카이제린은 못 만진다-
하우우우웃… 베르쿠트에게도 이랬지… 어떡해…
쿵 쿵
쿵 쿵 쿵

분명 괜찮을 거예요.
뭐 뭐 뭐 뭐 하는 거야, 저 녀석

제게도 여동생이 있어요….
그게 지금 갑자기 생각이 나네요….

여동생…?
티스폰이나 알렉토, 메가엘라 얘기인가?

아뇨… 그 아이들이 아니에요….

=애들러 성=
구 초제국 성도
다거스 폐허
츠츠츠츠…츠츠…

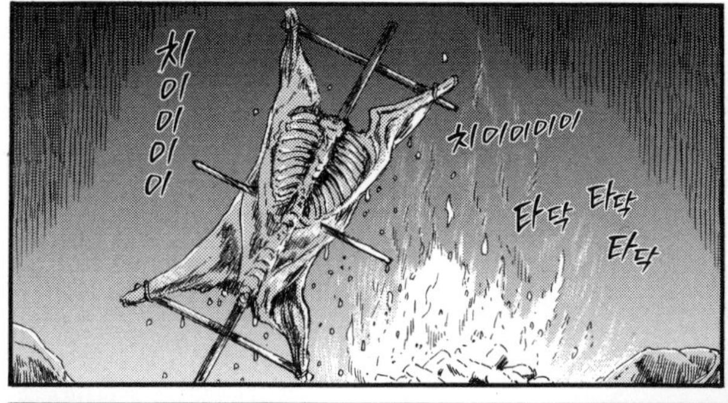
치이미미미이
치이미미미이
타닥 타닥
타닥

고오오오오오오오오
타닥
타닥

뿌득
찌이이익

우걱
우걱
우걱
타닥
타닥

여러 대국들이
미노그시아의
전쟁으로
국력이 소모된
그때….
그러니까…
확인하고
싶은 건
타닥
타닥

우물
우물
치이이
타닥
타닥
타닥

그 상황은
바하트마의
소멸을
전제로
하는 건가?
타닥
타닥

씨익

대국들은
큰 전쟁이
끝났다는
상징성이
필요할 테지.

그러면
전 성단이 군축에
들어갈 것이라고
생각함이
당연지사.
그렇다고 하나
전쟁이
계속되고
있어도
딱히
문제없음
이야….
저벅

우리 신성제국은
여기 이
피어 장군의
활약으로
다년간에 걸친
전력 증강과
의회 장악…
GTM
'후도우'의
정수(定數)
배치도
마쳐
뒀으니까….

과찬의 말씀
이십니다…
폐하….

수천 년 전 먼 옛날, 이 대륙의 주민들은 초제국이 지배하던 시절에도 자치권을 가지고 번영을 누리고 있었지….
ㅊㅊㅊㅊㅊㅊㅊㅊ
초제국이 멸망하고 새로운 국가들이 대두하는 가운데 두 대륙에 걸쳐 세워져 있던 우리들의 나라는 분열, 약체화됐어.

지금은 빈곤과 밀려드는 이민자, 난민이 넘쳐나는 변두리의 밑바닥 국가.
크크.
후후.
바—보, 바—보.
과거의 영광.
우민.
우민.
쓰레기, 쓰레기.
과거의 영광에 매달리는 것 말고는 살아가지 못하는 죽은 나라….

성단에서 존재도 잊히고 말라비틀어진 지 오래인 나라에 재능 있는 자들은 모여들지 않아.
타닥 타닥 타닥
그 어느 나라도 우리와 얽히고 싶지 않을 터.

그대들 두 나라는 자국의 자치권을 위해 과거 수십만 명이나 되는 국민을 노예, 실험체로 초제국 과학성(科學省)에 제공했지.
그들은 생물 병기, 유전자 개조, 육체 개조, 숱한 실험에 희생됐고…

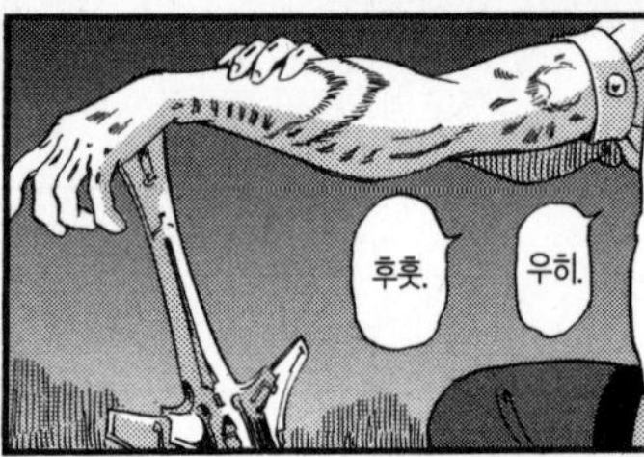

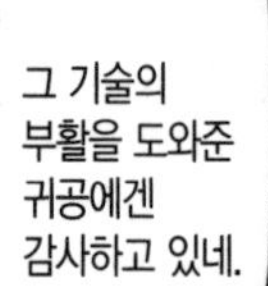

그 자금을 위해 우리 나라는 최저한의 성능밖에 갖지 못한 파티마의 생산을 계속했지….

토닥

저품질 파티마밖에 만들지 못한다고 타국을 속이고자….

결코
대외적으로는
드러내지 않고
계속해서 숨겨온
초일급
파티마들.
삐익
삐익
오로지
우리만을
따르며
인조 기사와
일체화하는
파티마
파티스….

슥…
타닥
타닥

우와….
푸….
에이피?
노이에…
음?
또…
뭐더라
….
그게
—….
트리오
….
룬…?
킬킬.
미라쥬…?

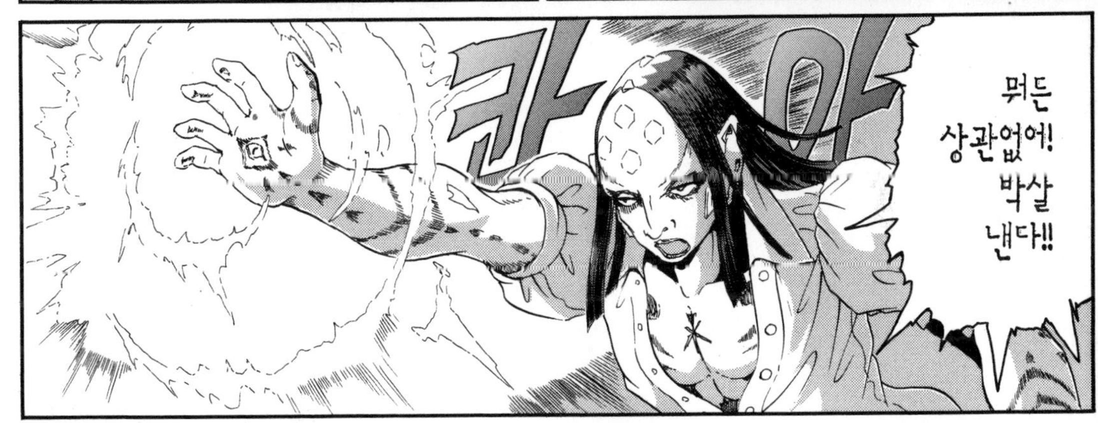
콰아
뭐든
상관없어!
박살
낸다!!

우지끈
우리…

요군의 인조 인간과
아다마스의 다스니카 파티마 들이!!

우리는 바하트마 같은 정치력도 없거니와, 나라는 이미 송장이나 마찬가지….
과거의 꿈이여 다시 한번, 옛날이 좋았다… 운운하며 타국의 발전, 타인의 진보를 인정하지 못하는 자들뿐.

돌아오지 않는 시절에 현실을 부정하며 추억 속에서밖에 살지 못해….
그건 정말 달콤하기도 하겠지, 핫핫핫.

그렇다면 나라도 국민도 모조리 잿더미로 만들어 버리겠다!!
그것이야말로 우리의 '재의 훈장 (애쉬 데코레이션)' 인즉!!

그에 앞서… 국민들에게는 한순간의 단꿈을 꾸게 해주는 것도 좋겠지.
내가 규합한 요군 3연방과 아다마스 폐하가 이끄는 다스니카 아다마스 신성연합제국이…

트란과 바킨 라칸을 쳐부수면 되는 거겠지?
뷰티 펠 공….

아아아….
아주 좋아…. 이 꺼끌꺼끌한 감각….
멸망하는 데에서 의의를 찾아낸 그대들….

싸움의… 끝을 원하는 자들에게 영원히 계속해서 펼쳐지는 절망을….
그대들의 의지를 부디 이어주길….
츠오오오오오오오오
ㅊㅊㅊㅊㅊㅊ

이 별… 애들러 성을 더욱 거대한 불꽃으로 휩싸
잿더미로 만들어버림으로써…. 아마테라스 폐하의 손으로….

성단력
3064년
카만토 성
안쥬는 베이지에서 왔댔지?

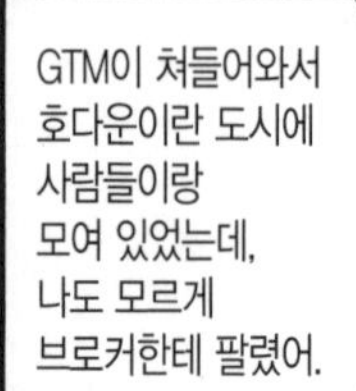
난 나카카라 남쪽에 살고 있었거든.
GTM이 쳐들어와서 호다운이란 도시에 사람들이랑 모여 있었는데, 나도 모르게 브로커한테 팔렸어.

그 도시에 쳐들어온 메요요 군 사람이, 난민은 메요요에 와서 살라고 했는데
츠도 오오오오
고오오오옹
고오오오옹
그런 소릴 믿는 사람은 없었지만, 나중에 뉴스에서 보니까 메요요는 집도 일자리도 진짜로 줬다더라.
슈우우우우

난 기렐 북쪽 마을이었는데 거기서 쫓겨나고 부모님도 죽었어.
하지만 지금도 기억나, 파로라 대의 바가 하리가 싸우는 게.

엄청난 소리가 났어! 콰오옹 하고!
거트 블로우끼리 맞부딪히면 천둥 같은 소리가 나!!

안쥬는 눈도 안 보이는데 여기서 열심히 힘내는 게 대단해!

난… 눈이 안 보여서 여기가 어떤 덴지도, 모두의 얼굴도 몰라.
수프에 야채가 좀 더 많았으면 좋겠다, 라든가 빵에 버터가 있었으면 좋겠다, 라든가
하지만 난 항상 내일은 오늘보다 아주 약간이라도 좋은 날이 됐으면 좋겠다는 생각을 해.
차에 설탕이 좀 들어 있지 않을까—, 매일 그런 생각을 하면서 내일을 기대하는 거야….

참 신기해.
안쥬한테는
뭐든지 다
얘기할 수
있을 것 같아.

안쥬한테는
술술
털어놓게
된다니까—.
응!
안쥬랑 있으면
무슨 얘길 해도
마음이 편해.
모두의 과거도
여태 몰랐는데.

…내일을
기대한다….
그래,
일리가
있는걸—.

삐이이이이이이이
휴~~
겨우
끝났네—.
작업 종료!
점검 정리!!

또
저 아이에게
사람들이
모여
있잖아….
?

와글와글
시끌시끌

저 아이랑
얘기하면
마음이
편해진대.
슥삭
슥삭

와글
와글
와글
요즘은
어른들이
더 많을
정도야.
아아, 안쥬?
얼마 전까진
어린애들뿐
이었는데…

다들 저 아이한테 가서 잡담이나 의논을 하는 모양이야.
스웨터가 뜯어지면 다시 수선해줄게—
저 아이랑 얘기하다 보면 내가 사실은 이런 생각을 했었나? 하고 깜짝 놀라게 돼.

우리도 저 아이랑 같이 얘기하면 속이 후련해져.
눈이 안 보이는 아이라 그런지, 나도 모르게 속내를 털어놓게 되더라고.

호오~.

ㅊㅊㅊㅊ
후오모—옹
안쥬…?

흐음~ 요즘 이 구역은 얌전하다 싶더니,
안쥬가 김을 빼주고 있는 거였나…?
저 아이도 의외로 쓸모가 있었다는 거잖아, 하하하하….
후훗

며칠 뒤…

고고고고고
안쥬, 오늘 밤 섹트(地區) 집회란 걸 하는데 같이 안 갈래? 맛있는 차가 나와!
응?

우와아 …!
오야마 우유
2반

홍차…! 냄새 좋다….

와글 와글
과자도 있단다. 갖고 가도 돼.
이 사람이 이 북구의 섹트 대표인 카지마 씨야.
와글 와글

그리고 이쪽은 섹트 의장인 노이 형님!
안녕.

그게… 이래선….
그래서 SPK 대가 AP에서 이탈했다고 하길래 기대했더니 말이야!
웅성 웅성
여기도 차 좀 부탁해ー.
결국 그 녀석들도 도마 연합의 앞잡이잖아! 배신자!

웅성 웅성
도마 연합은 나라가 아닌 거죠?

도마는 우무스나 롯조가 뒤를 봐주는 조직이지. 대외적으론 기업체지만,

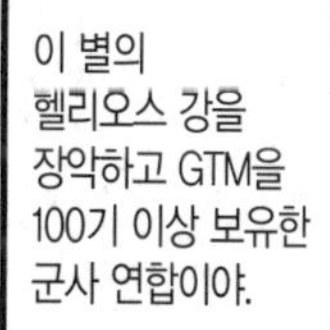
이 별의 헬리오스 강을 장악하고 GTM을 100기 이상 보유한 군사 연합이야.

기업체라면 어째서 이 광산의 인신매매와 인권 무시 현황에 대해 서태양계의 우주 보안 의회나…
이오타 우주 기사단이 움직이지 않는 건가요?

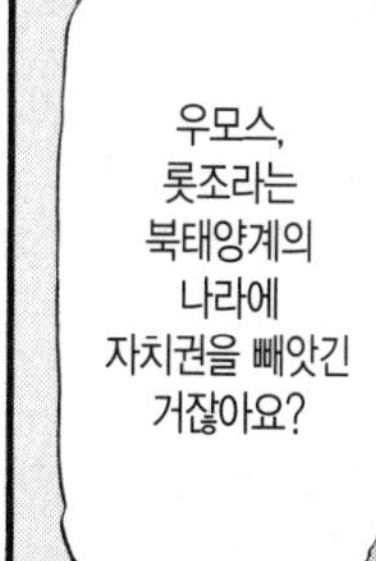
우모스, 롯조라는 북태양계의 나라에 자치권을 빼앗긴 거잖아요?

우주 거주민의 편인 이오타가 움직이려면 서태양계 보안 의회의 승인이 필요해.
하지만 보안 의회는 전혀 움직이지 않는 데다, NPO도 성단도 도마의 해적과 결탁한 횡포에 눈을 감고 있지.
응…?
아… 아~. 카지마 씨….
그 어떤 나라도 여기에 관여하고 싶어 하지 않는다는 거군요…. 하지만…
헬리오스 강을 장악당한 이즈모의 타이센 스즈카 시장님은 이 상황을 어떻게든 하고 싶다는 생각을 가지고 계시지 않을까요?
술렁
이 아이… 우리의 문제를 적확하게 찌르는군….
그래… 굉장한 지식인걸….
그래, 맞아. 이즈모 쪽은 GTM용 결정 장갑의 제조, 무기의 생산이 주산업이지.
도마의 압력으로 이즈모는 생산을 추축군 위주로 할 수밖에 없어. 그것도 싼 가격에.
이오타, 이즈모라는 우리 편이 움직인다는 것은 결국 대국이나 성단 의회가 움직인다는 것.
그것을 위해서는 시녀님과 란이 움직이고 구(舊) 하스하, 미노그시아가 힘을 되찾는 수밖에 없어….

네?
방금
의장의 얘기,
안쥬도
미노그시아
인이면
알겠지?

역시
노이 의장,
알기 쉽게
정리했어!
와하하하하하
오~옷.

이 별의
현황을
온 성단에
알려주기만
하면
되는데….
미노그시아가
분열되어
큰일 난 건
알겠지만…
왜
란의 시녀님은
이 별의
미노그시아인을
무시하고
있는 걸까?

하지만
그래도!!
시녀님은
나쁘지 않아!!
란이
썩은 거야!!
란에 필모어를
끌어들인 건
바로 시녀
푼푸트님
이라던데!!
란은
필모어에
먹힌
꼴이잖아?
보고도 못 본
척하는 거야!
시녀님도 란도
말이야!

…….

후오오오오오오오
쿠ー웅
쿠ー웅
쿠ー웅

안쥬,
노이 형님이
얘기 좀
하고 싶대.
후오——옹
후오——옹
후오오오오
붙잡아서
미안하다.
얘기 좀
들어주겠니?

노이 형님은
내가 기사라는 걸
꿰뚫어 본 사람이야.
그 뒤로 신세를
많이 졌지.
어떡하면
기사라는 걸
들키지 않는지,
힘을 쓰는 법이나
단련하는 법
같은 걸 가르쳐줘.

후오
옹
응? 그럼
기사에 관해
잘 아신다는
거네요?

…하하
….
그런 셈이
되는
구나….
대단한
걸….

난 원래는
나카카라
출신
기술자였어.
대전이
시작되기
훨씬 전에
다른 나라로
옮겼지만
말이야….

하지만 그 나라가
미노그시아를 공격해
수많은 사람을 죽였다….
여기 있는 사람들 중에도
그 때문에 가족을
잃은 사람이
잔뜩 있어….
내가
제조에 관여한
바하트마의
GTM에 의해서
말이지….
쿠오오오——옹
후오——옹

알고 있었어!!
그렇게 될 줄은…!
갈런드라면
그런 건
신경 쓰는 게
아니라는… 것도.
하지만…
하지만!
내가 저지른
짓은……!

…정신을
차리고 보니
난 미노그시아에
돌아와 전장을 떠돌다
롯조 군에게
붙잡혀 있었어….
내가 바하트마의
GTM 갈런드
라는 걸 알리면
곧바로
해방됐겠지….
하지만…

그 말을
할 수 없었어….
말하고 싶지
않았던 거야….
그리고
난 그대로
난민이 되어
여기로
보내졌다.

젊었던 난
GTM을 만들
힘이 있음을
증명하고
싶었지….
나카카라에선
바가 하리가
있는 이상
내겐 기회가
없었어….

바하트마에선
마우저 교수와
GTM '드로리'나
'카바겐'의 제조를
담당하면서…
나 자신의
GTM 설계에
몰두했지.
마우저 교수도
이것저것
어드바이스를
해줬고
말이야….

바가 하리를 뛰어넘는 라이온 프레임의 GTM을 만들겠다는 의욕으로 가득했어.
그 GTM에는 '아톨라'라는 이름도 붙여뒀지만.
난 욕망을 이기지 못하고 바하트마에 혼을 판 거야….
그래서 난 여기서 난민으로 여생을 마치려고 해. 별 속죄도 되지 못하겠지만….
……。
나는 미노그시아인 이다.
갈런드의 지위보다도 미노그시아 사람이라는 것이 더 소중하다. 그 사실을 깨달으신 거네요….
!!
으… 응…!
응…!
그래…! 맞아. 난 누가 그렇게 말해줬으면 했던 거야…!
그렇게….
고맙다… 안쥬….
넌 기억해줬으면 좋겠어…. 이 과오와 내 진짜 이름을….
노이스 고류노프…. 미노그시아의 대지를 더럽히고 사람들을 학살한 GTM 갈런드를….

아일,
네 말대로
전부 다
털어놔버렸어….
놀랍구나….
그치?
우린 안쥬가
꼭 시녀님 같다고
그래.
진짜 시녀님도
분명 안쥬처럼
모두의 이야기를
들어주실 거야.
그래…?
그렇군….
안쥬는
우리의
시녀님
이구나.
우오—…오
우오—오
루 루루루 루루루루 루루……
카만토의
시녀님….

구오오—옹
부오오오오오오
휴—웅

부오오오오오
부오오오오오—옹
뎀잔바라의 장갑이 또 바뀌었군요.

아~~ 원래 장갑으로 되돌리고 증가 장갑을 추가했어.
오—옹
오오—옹
베라 전투에서 십수 기의 적에게 포위됐었잖아. 그 교훈이지.

AP 상대로 대활약하신 그 전설의 전투 말씀이시죠?

아— 역시 나조차 좀 생존이란 걸 생각하게 됐거든~~.
그보다 하이트, 널 부른 건 있잖아….

너 말이야… 발란셰 박사 댁에 자주 드나든다며?
거기 아우크소가 있지?

예…?
앗… 그게….

응? 응? 너도 그렇게 생각 안 해? 이 마트리아 님이 말이야~~.
토닥
그 뭐냐, 데코스 대장보다 좀 뒤지는 게 있잖아?

좀 더 이 바하트마의 에이스에게 딱 맞는 파티마라는 게 필요하다는 생각 안 하냐고?
하이트, 나랑 아우크소를 좀 만나게 해줄 수 없겠냐….

지, 지드 씨 한테는 니나리스 님이 있잖아요!!
명(銘)이 붙어 있는 굉장한 파티마 인데요!!

짤랑
…… 그 녀석은 ……

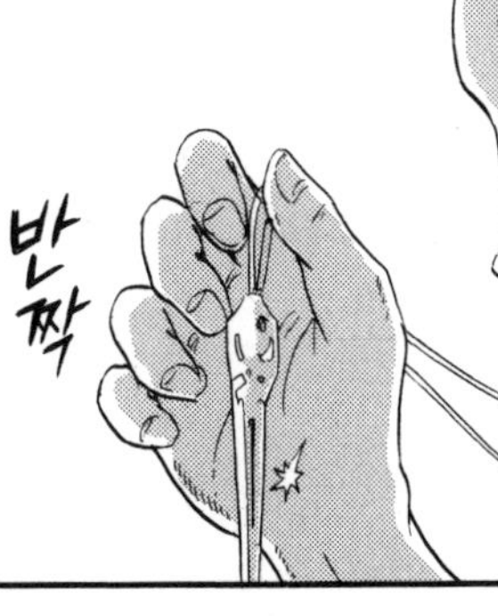
옛날과 달리 더 이상 나한테 안 맞는단 말이지. 지금의 나랑은, 격이라고나 할까….
반짝
신뢰할 수가 없어!! 베라 때도 그 녀석, 초장부터 얼빠지게 굴지 않나! 그것만 아니면 베라 지대장의 목은 내가 땄을 텐데!!

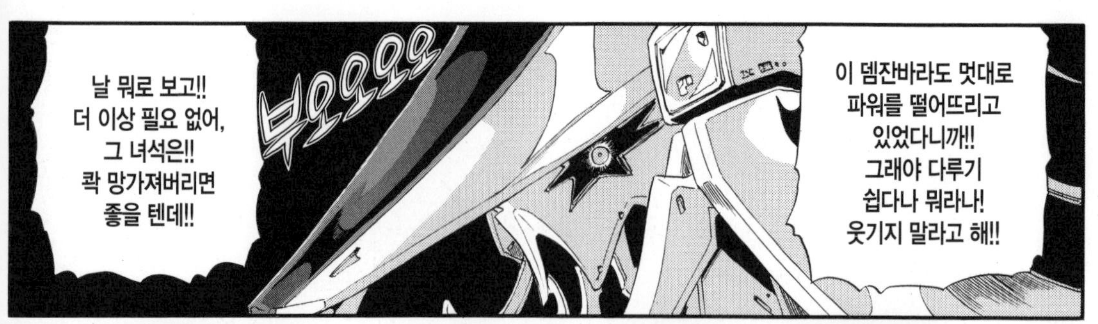
이 뎀잔바라도 멋대로 파워를 떨어뜨리고 있었다니까!! 그래야 다루기 쉽다나 뭐라나! 웃기지 말라고 해!!
부오오오오오
날 뭐로 보고!! 더 이상 필요 없어, 그 녀석은!! 콱 망가져버리면 좋을 텐데!!

…아, 맞다! 아우크소가 나한테 오면…
니나리스는 너한테 줄 수도 있는데? 임시 마스터로 말이야.

아… 아니…
전 파티마가 있어봤자….

…….
으~~음, 있잖아….

펠 회장이 꽤 전부터 약한 기사나 반쪽짜리 기사를 모아서 말이지….
'기사 재생 프로젝트' 라는 걸 하고 있다는 얘기가 있거든.
부르르르
부오오ー옷
부오ー옹

GTM을 몰 수 있을 정도로 어엿한 기사로 강화된다고…
관심 있어 하는 녀석이 있으면 소개해달라고 그랬어.

다만~ 그렇게 모인 기사가 그 뒤 어떻게 되었는지는 나도 몰라….
스윽
좀 겁나는 얘기지—? 바로 그 펠 회장 이잖아—. 인체 실험이니까 말이야—.

그러고 보니까
원래 바하트마에는
시블 시절부터
폐하에게
절대 충성을 맹세한
척적(隻赤) 기사단이
있었잖아?
그 맛이 간
사이코 같은
녀석들…
벌써 못 본 지
한참 됐지?

게다가
처음에 나랑
데코스
대장을
스카우트한
보스야스포트
폐하의 친위대
흑혈(黑血)
마도단도
어디론가
사라져버렸어….

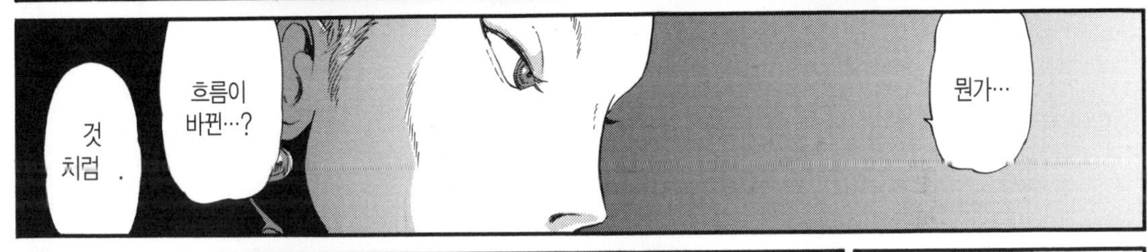
뭔가…
흐름이
바뀐…?
것
치럼 .

아무튼!
아우크소
건은
부탁 좀
하자!
너만
믿는다,
하이트!
기사 재생
프로젝트…?
어엿한
기사가
될 수
있다고…?

스바스
시가지
부우—웅
빵빠—앙
빠—앙
부우—웅

슬슬 에피가 여기를 지나갈 때가 됐는데, 무슨 볼일이지? 갑자기.
그보다 그 녀석, 연합 본부의 편의점에서 알바라니… 뭐냐고?

마키시와 함께 여기 온 지도 벌써 2년 됐나….
AP 본부에서 날뛰면 어떡하나 걱정했지만 그러지도 않았고.

기사들의 훈련에도 관심 없이 공부만 하는 데다 데프레와 대련조차 하지 않아….

뭐, 어쩔 수 없지…. 나도 그랬으니까.
다른 기사의 강함 같은 건 알 바 아니었어. 어떤 싸움이든 그 자리에서 간파할 수 있으니까 말이야….
싸우는 건… 그래…. 무슨 스위치가 켜졌을 때뿐이었군….

응?

꼼지락 꼼지락~
문질 문질

문질
있잖아— 매드라는 왜 초등학생 같은 차림이야—?
만지작 만지작

시끄러워!
가끔 왠지
이런 차림을
하게 되거든!!
파앗
이거 갖고
이러쿵
저러쿵 마!!
문질 문질
좋아~~
이 녀석의
특징 2.
엄마 품을
그리워해
스킨십이
많다!!
냐아~~마
냐아~앙
냐아~아
하지만
실은 카이엔과
마찬가지로
여자 피부가
만지고
싶은 것뿐!!

음?
그럼~
내일
봐~
미츠코,
수고~

미츠코…?
누구세요?
아~ 에피
트라이(3)
니까
미츠(3)코~

저러면
편의점에도
잠입할 수
있겠군.
그럼 보 젝스(6)는
무츠(6)코?
폐하의 센스네

뭐,
저 녀석의
귀엔
집음(集音)
기능이
있을 터.
여기서 내가
속삭여도
들리려나?

응?
따라
오라고?
이미 들킨
건가…?
파앗
파앗

어라?
없음

아차!
마키시,
어디 간
거야!
아아~앙,
하여간~!

매드라가
보고 있던
저 누나…
이상해~.
본능이
그렇게 말하고
있어~.

거기 학생!

파-앗
매일 편의점에서 수고가 많던데. 잠깐 좀 볼까?

하스한트 국가 기사단의….

여기라면 방해는 없겠군.
자… 그럼.
학생, 우리에 관해 알고 있지?

우리가 바하트마 라는 것 정도는?
스윽
처억
뭐, 죽일 거니까 상관없지만 말이야. 너, 미노그시아 쪽 내사과 같은 건 아니지?

아… 뭐…
그거면 신경 쓰이는 게 있어서….

당신네 동료 중에 요 며칠 사이 이상한 녀석이 오지 않았어?

그 녀석, 누구지? 혹시 가르쳐줄 수 없을까?
푸욱
!!

파아아앗
처억
뭐야,
이 녀석!
팔이?!

푸확

앗?
후둑
히익!!

스윽
오~~
검이다~.
처억
넌…?

슥…
히익…! 살려…

부들
맞아 맞아, 그 눈….

필사적으로 살고 싶다는 그 눈….
우후후~.
그런 거 보는 거, 너무 좋아~!

파지직
!!

샤아아아아아아
파파파파파

불탔어?!
슈우우우우우우
화아아

파아앗 파앗

아니, 시체가 남으면 귀찮지 않나요?
뚜벅

오싹

칼리굴라의 시오의 문지기죠? 당신…?
왜 이런 곳에 계시는 건가요?
뷰티 펠…? 이런…
거물이….
마그달의 남동생이 깨어났다고 하던가…? 하기에 조사를 시켜 뒀는데…
뭔가 걸리는 게 있어서 직접 와봤더니만…
파직
이 아이! 어쩜 이럴 수가… 설마…!!
이런 존재가 어째서 이 세상에? 믿기지 않아요!!
오싹 오싹
실룩 실룩
이 아이는 초제국 기사의 완전체예요!!
파직
그것도…! 틀림없는 정진정명의 검성!! 대체 어떻게 누가 만든 걸까요…?!

번뜩
두근

파직!
그럼
시험해
보도록
하죠!!

파앗

파지지지지
파앗

그건
에일리어스
(幽體)야!!
폭발…!!
푸확
퍼어엉
!!
방금 그걸…
피했다고요?
말도
안 돼!
네요!!
파직
부우웅
파앗

푸확
일렁
퍼엉

이런…! 어린 개체란 생각에… 그만…!
내 본체를 쫓아온다! 보이는 건가?

차악

멀어…. 이걸 기록할 수 없…어….
데이터 전송…. …크… 5호 바디는 애들러인가…?
역시 몇 체 더 상시 기동시켜 둘 필요가….

투욱

펠을
쓰러
뜨렸어….

검……
굉장…해…
애……
애…….
죽었…
다ー….
꾸욱
끼릭

콰악

휘적
거~기…,
너ー
스파…이지
~~….
재밌다~.
손이
이상…하게…
생겼네….

해부~
할래….
속… 보고
싶어~.
저벅

이 이이,
어디선가
만난 적 있다….
기억에 있어!
언제지…?
응…?!
내가 죽어
있었을 때?!
뭐야…?
뭐지,
이게…?
꿈…?

그만둬,
마키시!!
촤좌악
그 녀석은
같은 편
이야!!

!!

이 녀석은 바하트마의… 설마.

매드라… 어디… 보고 있…어?
응~~? 매드라….

싸우… 자….
휘적

검… 쥐면… 굉장…해….
싸우자…. …진짜…로….

그만둬, 마키시!! 검을 쥐면 힘 조절이 되지 않아!!
지금까지의 폭주와 달라…. 강적을 상대하느라 깨어난 건가…?

그럼 ~~….

푸욱
!!

이 녀석
해부해서
토막내
버릴래~.
콰악
너,
사이보그지?
이 정도론
안 죽잖아?
콰악
콰악

으윽…
윽…!!

그만둬!!
마키시,
이 멍청아!!

검 줄래?
쑤욱
그 검 쥐고
싸워줄
거야?!
푸욱

매드라
이기면
검성 줄래?
검성!
나
검성이야!!

맨손으로는
지금의
이 아이를
억누를 수
없어….
그런데
이 아이는
왜 이렇게
검성의 이름에
집착을
하는 건지….

파앗
나
이거야
원….

갈런드는 정말 골칫거리 만드는 데엔 도가 텄단 말이야⋯.
부오오오
미스 씨에게 힘이 되어 주겠다고⋯ 하긴 했지만⋯
폐하!!
그 녀석은 난봉꾼 이니까, 그거 하나만은 틀림없어.
아니⋯ 나쁜 건 카이엔 이겠지⋯.
스륵
폐⋯ 폐하⋯.
부와아아아
오싹
알고 있어~ 아마테라스야 ~~⋯.
너⋯ 너⋯언~.
안녕.
네가 마키시 군 이구나?
머리 카락을 묶는 데에
생글 생글생글
2시간이나 걸렸다

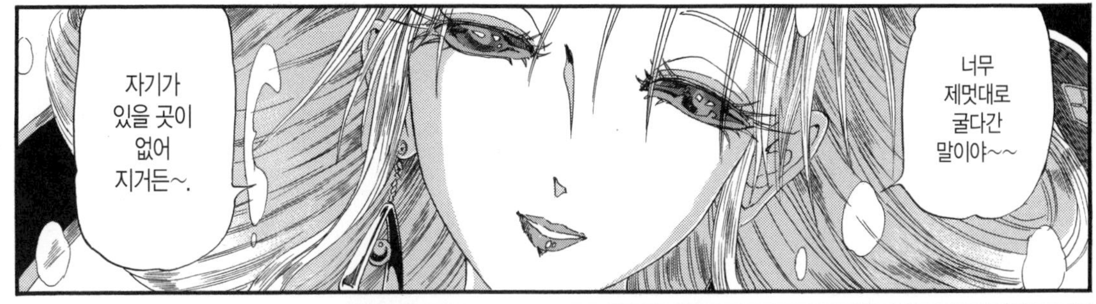
너무
제멋대로
굴다간
말이야~~
자기가
있을 곳이
없어
지거든~.

우와…!
여긴…
어디…?
키이이이이이이이이이이

힉…!

피잇
구웅웅

뭔가 있어,
싫어!!
뭐야,
이 녀석들!!
피피피피피
츠와아아아아
우와악!
싫어!
뭐야?

우와~악!!
싫어어!!
대뇌 침입
(오페라)의
최대 이행….
사고도 감각도
뜻대로
조작당하게 돼….
부오오오오오오
쉬이이이이이이

차원
회랑….

부와아아아아아
몸이
움직이질
않아~!!
으―음,
움직일 수
없지―?
움직일 수
있으면
대단하
지만~.
싫어!
오지 마!
싫어,
싫어!!

푼푸트 님도
과거 내가
폭주할 때 쓰셨고,
또 마키시에게도
쓰셨을 테지만….
우와아아아아아
그만해애애애~~!
폐하나
비 전하께서 쓰시는
'세븐스 폴
(차원회랑)'은
육체마저 일그러져
이 세상에서
소멸된다고까지
하던데….
사람을 함부로
다치게 하면
안 된단다.
약속하면
그만둘게.
그에 앞서…
나의
종복이 되어
충성을
맹세하도록!

응….
으…
응….

진심
이려나?

파앗

츠츠츠츠

부오
왁!!

콰아악

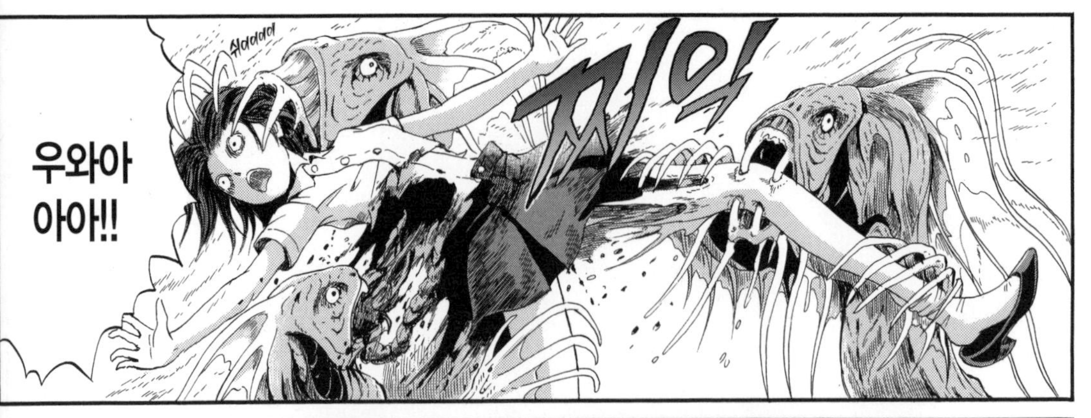
쉬이이이이
찌익
우와아
아아!!

후둑
나 녹아!
나 녹아
아~~아!!
아파!
아파~아!

슈우우우
부탁이야
~~아!!
뿌직
쭈우우우우~
우물 우물
부탁해!
살려
줘어어!

슈우우우
와~악!!
후둑
무슨 말이든지
다 잘 들을게
에~에!!

※마니우: 타바라치의 신. 원래 아마테라스의 이차원 친구였지만 라키시스에게 아마테라스의 힘이 옮겨 가 있었던 부유성 동란 때 라키시스를 돕기 위해 출현. 이후 라키시스를 지키게 되었다.

결국
힘으로 찍어
누를 수밖에
없는 건가…
이 아이를
제어하려면.
하지만
이래서야
겉으로만
말을 들을
뿐이겠지….
스윽

이 아이의
폭주엔
뭔가 이유가
있을 거야.
…그걸 알 수
있으면
좋을 텐데….
꿈틀
꿈틀

폐하…
마키시가
쓰러뜨린
저자는…
과거의
고스트
테크놀로지의
…….

그래…
역시 마키시,
간단히
쓰러뜨렸네….
보통은
쓰러뜨릴 수
없는데….

없애
두자.
파앗

화아악

저자는
AD 세기에
금기시되던
기술…
마도 병기의
실험
안드로이드
입니다….
비틀…

초제국 총제의
그 초상(超常)의 힘을
얻기 위해 황가인
아셀무라토바 가의
일족을 인체 실험에
써서 탄생한….
기사의 힘을
대체
하려고 한
음모가….
여러 예비체가
존재하며
모체는 다른 곳에
있을 겁니다.
…폐하께서는
알고 계실
듯합니다만….

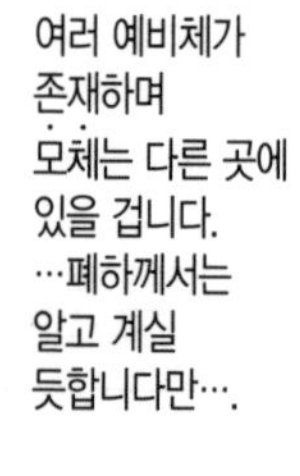

그와 관련된 자들은 초대 아마테라스 가 당주 포커스라이트노 미코토(收光命) 님께서 대부분 토벌하셨고…
남은 자들도 역대 아마테라스 가 여제님들께서 처분해 오셨건만…
아직도 남아 있는 건가….

그 녀석들 중 아마테라스 가에서 제어할 수 있었던 건
부오오오오
우리 쪽에 있는 줌뿐이었지만.

어라? 그런데 걔, 어디 갔지?
요즘은 통 보이질 않는데… 뭐… 아무렴 어때….

그건 그렇고 뷰티 펠….
그 힘도 배경도 납득이 되지 않는 부분이 많아….

뭐… 보스야스포트도 그렇지만, 그 이상으로 성가신걸.
이 녀석은 단순한 초제국의 망령이 아니야….

발란셰 박사님! 마키시가 위급합니다! 베르쿠트도 와줘!!
의식이 회복되지 않아요!
휘이이이이이이이이이
슈우우우우우우우
예~~?! 아마테라스 폐하가 벌을요~~?!

외상 없음… 체내 손상 없음… 아!
ATP치 (생체 에너지)가 노쇠사 직전!
그럼 생체 활성 포드에 설탕물이라도 넣고 풍덩— 하죠!
엥?
까악— 까악—
아우크소! 백설탕 5kg만 갖고 와줘—!
예—.
에~ 엥?
풍더ㅡ엉
아니… 저, 박사님… 에~~엥!!

일주일 뒤
대기권에 진입했습니다.
삐빅

있지—, 아우크소. 어쩐지 나, 달달한 냄새가 나~~.
킁 킁

나 이거야 원, 그런 일 (폐하의 벌)이 있었는데도 벌써 아무렇지도 않다니….
엥—. 하지만 나, 금방 다시 냉정해지는 건~~.

그래그래, 파티마니까 그렇단 말이지—.
고고고고고고고
아! 왔다! 저거야?

웨일형 1번함 둘러 3060년 개장형
A.K.D. high speed Cruiser "Whale" DOULER
전장 320m. 세일 포함 440m. 성단력 3060년에 개장된 A.K.D.의 고속순양함. 신규 외장으로 변경되었다. 기함 벨 클레르(벨 크렐)도 3045년에 선행 개장된 바 있다. 벨 클레르는 그리 달라지지 않았지만, 웨일(호엘)형 순양함은 완전히 딴판으로 개장되었다. 이 개장이 이루어진 것은 Z.A.P.를 탑재하기 위함이다. 일반 GTM은 8기 탑재할 수 있지만, Z.A.P.는 4기밖에 탑재하지 못한다.
휘이— 휘이 휘이 휘이 휘이—이
ㅊㅊㅊㅊㅊㅊ
피키—잉 피키—잉

우와~~ 우주선 이다——!
ㅊ도도도도도 도도
슈르 슈르 슈르 슈르
나, 미라쥬 기사가 된 거야? 매드라처럼——!

그래, 그 장비 세트를 폐하께서 보내신 거야.
도ㅊㅊㅊㅊㅊㅊ
반—짝
휘잉 휘잉 휘잉
오~

고오
덜커엉

드우웅

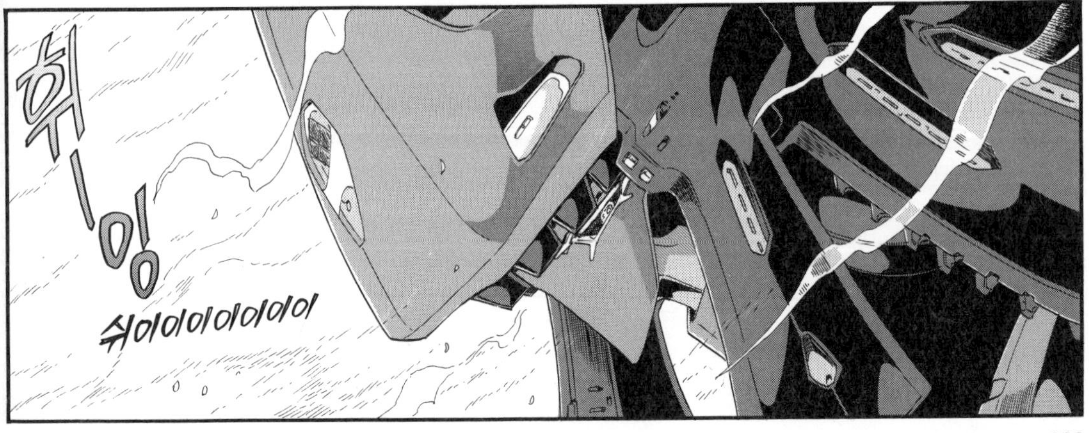
휘-잉
쉬이이이이이이이

우와~ GTM 이다—.
도오오오오오오
오오~.

브링어 B4 히토에 후타에? 이걸 마키시에게…?
휘잉 휘잉 휘잉
우오오~ 내 거야~?
아니, 폐하…! 이거!!

매드라 씨… 아마테라스 폐하의 의향인 건 알겠지만요….
펄럭 펄럭

예… GTM 만으론….
애당초 자기가 파티마라고 하는 마키시가 파티마를 들일 리가….

괜찮아요,
저 아이라면.

링 링 링 링 링 링

링 링 링 링
리·리·리·리·리
리리리리….
링
리링

'아틀라스'!
부유성에서
잠들어
있었던….
휘이이이이이이
아틀라스?
아뇨…
아니에요,
이 아이는!

'클라
비어'는?
아틀
라스…?

오랜만
이에요,
'언니'.
저벅

예, 발란셰 님.
저희
프로토 파티마
4체의 수명이
거의 다 되었음이
판명되었을 때,

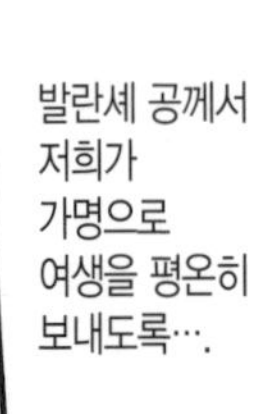
발란셰 공께서
저희가
가명으로
여생을 평온히
보내도록….

'클라비어'는
아직 부유성에서
계속 자고
있어요….
제가 B4
히토에
후타에와
함께 온
것은….

마키시
님,
꾸벅
부디 저를
파트너로.

화악

어라?
킁킁

킁
킁킁
킁킁

하와와
어라라?
어라—?
킁킁
킁킁

개미처럼
집요하게
몇 번이고
상대의 냄새를
맡아서…
같은 '둥지'에
속하는지
확인하고
있어….
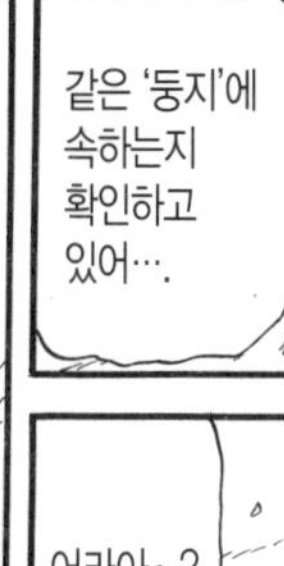

초제국의
곤충형
지배 시스템의
흔적인
걸까요…?
콩콩
콩콩
어라아~?

맞습니다.
'직계'의
냄새를
인식하는….
아틀라스는
그 냄새가
강할 터….

음~~
??
저도
마키시와
처음
만났을 때
느꼈
습니다….
이상하다~

아우크소의
냄새랑
똑같아….
…좋아,
내 파트너
해.

이 마음…
육체… 성능…
지식…
모든 것을
바치겠습니다.
그것이야말로
제 최대의
영예가
될 테지요.
마스터.

장비 세트… GTM B4,
정비 카고 1기, 수송 스키퍼,
보충 파츠가… 음…
그리고 GTM 슈트는
콕피트의 컨테이너에….
어디
보자~~
으힉…!
슈트는
스커트네….
역시 폐하….

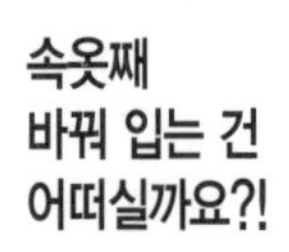

그런데
넌 뭐야?
아틀라스.

보통
파티마가
아니지~?

나카카라 호다운 시
나카카라 왕국, 그리고 남부 미노그시아 중공업의 거점이었던 호다운 시는 개전 직후 추축군의 공격에 의해 거의 전역이 파괴, 지금은 공장에서 흘러나온 오염 물질로 지반도 지하수도 오염되어 사람이 살 곳이 못 되는 폐허 도시로 변했다. 그리고 그곳에 오갈 곳 없는 미노그시아 난민이 밀려들어 지금의 호다운 시는 난민 도시가 되어 있었다.

와글 와글 와글

호다운… 이렇게 참담한 상황이라니…. 여기서 수많은 난민이 채굴성에 보내지고 있어….
와글. 와글. 와글.
아무것도 할 수 없는 나 자신이 원망스러워….

천만에요! 아르르 님이 각지를 순회하고 계시니까
추축군도 저희를 복병으로 보고 경계해서….

그럼요! 게다가 아르르 님과 교전했다간 즉각 콜러스 참전이니까.
아르르 님은 계셔주시는 것만으로도 의미가 있는 겁니다!

난감하네….

무츠코, 어쩌지….
으――음, 우리로선 도무지 ――….

아… 이 아이가 이름도 성도 모른다고 해서요.
아기 때부터 온갖 곳을 전전하다가 오늘 여기 도착한 모양인데요,

이름이 등록 안 되면 배급도 못 받고 여기서 살 수도 없거든요!
글썽 글썽

저벅
무슨 일 인가요?

이 아이는 여태껏 번호 같은 걸로 불린 모양인데, 다른 건 아무것도 모른다고 하네요.
저희는 왕도의 학생 자원봉사자인데요. 이름도 없는 아이는 상상조차 못 해서 누구한테 부탁해야 할지 난감하던 참이에요.

그런가요…. 이건 내 일이네.
감사합니다! 이걸로 등록하세요!!

내 아명을 따 이름을 지어줄게. 리듬… 리듬 코르위붕겐….
빡 삐빡
좀 기네…. 통칭 리드…. 리드 코르는 어떠니?

리드! 리드 코르!!
그게 내 이름? 멋지다! 고마워, 언니!!

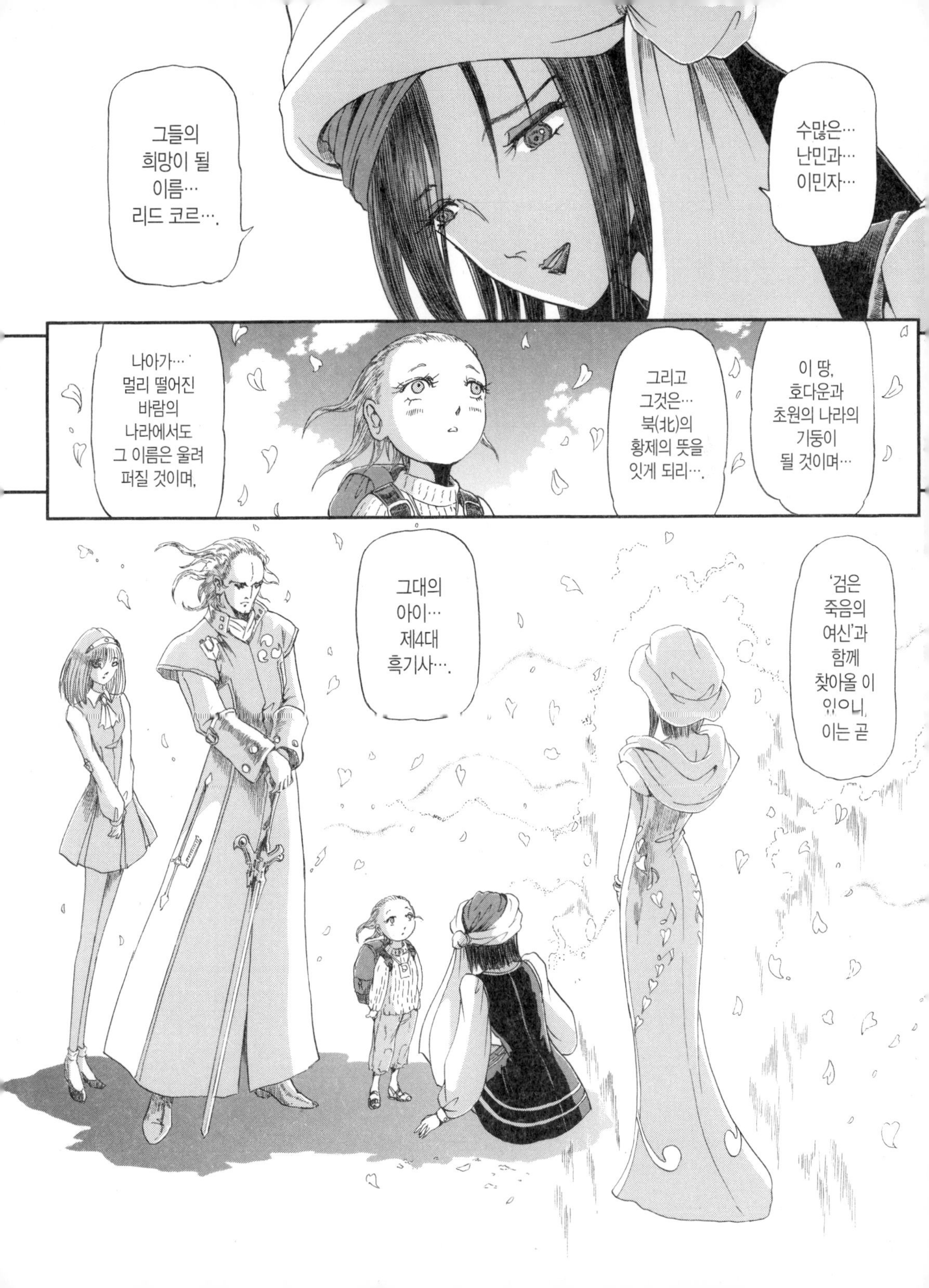
수많은…
난민과…
이민자…
그들의
희망이 될
이름…
리드 코르….
이 땅,
호다운과
초원의 나라의
기둥이
될 것이며…
그리고
그것은…
북(北)의
황제의 뜻을
잇게 되리….
나아가…
멀리 떨어진
바람의
나라에서도
그 이름은 울려
퍼질 것이며,
'검은
죽음의
여신'과
함께
찾아올 이
있으니,
이는 곧
그대의
아이…
제4대
흑기사….

언니…?
그게… 뭐야? 까만… 기사…?

응? …아… 아니,
무… 무슨 소릴 하는 거람! 내가 지금….

미안! 잠깐 딴생각 했나 봐….
거참~
어라~?
뭐라고 혼잣말을 하시던데요
콜러스의 왕녀 아르르 멜로디…. 시녀 푼푸트의 딸….

방금 그것은 예언인가? …시녀의… 그 힘을 물려받았을 줄이야….
그렇다면 방금 그것은 언령(言靈)… 언젠가….

부오오오오오오

으——음,
모르겠어….
부오오오오오오오
왜 저분은 이곳이 희망과 출발의 땅이라고…?
나카카라 님! 방금 그것은… 저 아이가…!
푼푸트, 당신을 부른 건 이것 때문이야.
마그달은 시녀이면서 시녀가 아니거든.
그래서 또 하나의 시녀가 다음 시대를 위해 준비된 거야.
같은 시대에 2명의 시녀가 등장한다….
지난번엔 나와 리브라… 이번엔 마그달과 아르르….
대체… 어떤 시대가 올 것인지….

성단력
3069년 서
태양계
퍼어어어어엉
투콰아
퍼어어어어어엉
키이이이이이잉
쉬이이이이이이이

적 해적선에서
나온 GTM,
거의 섬멸!
콰아아아아아
츠도도도도
'하빌란트'
제2중대,
산죠의
에어리어로
집합!!

'자젤로'
제3중대는
전투 공역의 확보,
탈출한 해적의
체포와
AF의 구조를!
츠고고고고고
샤아앗
츠츠츠
콰아아아아아아
제2중대(2기 편대)
로테 1, 2는
해적선의
GTM 사출구를
제압하라!!

산죠! 로테 3, 4로
선교에 접근해 관제,
제어를 빼앗아!
삐익 삐 삐 삐익...
알겠습니다!!
'다이몬',
배의
관제 시스템을
장악해!
예스,
마스터!

도련님!
포위망을 벗어난
적 1기가 그쪽으로!
록온을
링크하겠습니다!
키이이이이이이이잉
쿠오
오케이―!
이 녀석이지?
마지막인가?

쿠오옹
투콰아
빈 틴!
탈출한 기사,
AT를
포박해!!
콰오오오
예스!
마스터,
견인 빔으로
포박했습
니다!!
산죠!!
제1, 제2중대
선내 진입!
데이터룸을
제압해!
화오오오오오
알겠
습니다!!
예정대로!

오더
우주 해적….
규모가 되는
해적은
이 녀석들로
끝인가….
하지만
엄마도 참,
무슨
생각이냐고!!
브로커에게 팔리는
난민을 줄이겠다며
요 반년 동안
해적, 브로커를
6곳이나
박살 내고 말이야!
휘잉 휘잉 휘잉

이오타의
명성은
올라갔지만서도!
이래선 도마의
반발이 불 보듯
훤한데!
하지만 마스터,
이게 다 이마라 님이
우주 의회에서
체포령을
끌어내셔서
이렇게 된 거
잖아요.
빡
빡

나도 알아~~.
하지만 분명
뒤에서 A.K.D.가
압력을
행사했을걸!!
지금까지 나나
스즈카 시장이
아무리 호소해도
의회는 전혀
움직이지 않았어!!
링링링

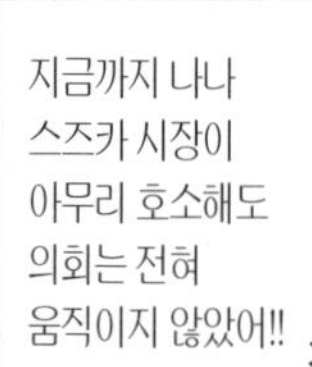

ㅊㅊㅊㅊㅊㅊ
그랬던 의회가
갑자기
토벌 허가라니,
무슨 거래를
한 거냐고!
엄마는!!
이런 식으로
언제나
우주 거주민은
대국의 변덕에
휘둘려왔어!

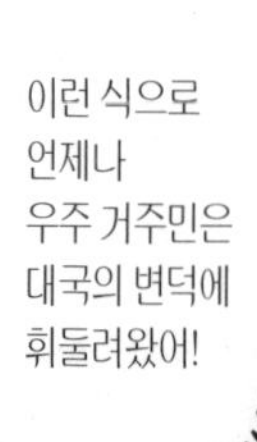

하지만…
엄마는
바로 그
대국의 힘을
써서…
우리로서는
불가능했던
난민 브로커의
루트를
마구 박살 냈지….
엄마가 왜
미라쥬 기사가
됐는지…
지금이라면
알겠어.

츠고고고고고고고고
해적선의 제어를
빼앗았습니다!!
선내의 선원도
체포!!
해적 기사들도
거의 체포!
탈출 포드도
회수 중!!
고오오오오

산죠! 오더의 두목 구스코 그루는 어떻게 됐지?
빅 빅 빅
실수했습니다! 하부 사일로로 GTM이 수 기 탈출했습니다!
아~~!! 젠장, 놓친 거냐!!

쿠오오오오오오
……라는…
삐삐삐삐…
후오오오오오오
걸로 해두자고… 선내에 숨어버려서 숨바꼭질이라도 하게 되면 귀찮으니까 말이야.
불쌍하게도….

샤아아아아
츠도오오오오오오오오
크하하하하! 멍청한 이오타 녀석들~!!

우리의 GTM을 따라잡을 수 있는 녀석 따윈 없다 이 말씀이야! 빌어먹을!
키이이이이이
다짜고짜 웬 시비냐고! 웃기지도 않아 갖고~!
마스터, 후방에서 급속히 접근하는….
키이이이이이잉
날 놓친 걸 후회할 거다! 잔당을 모아 다시 일어나 주마!
피식
마스터, 괜히 큰소리 치시긴
링 링
이 빚은 꼭 갚아줘야 겠다, 크하하하 하하하~!
앙? '셰라스타', 뭐라고?!

키이이이이이이이이이잉
츠도오오오오오
큐큐큐웅
황아아아

이카루가 왕자님!
타이트네이브 공주님!
양익의 2기를
잡아주시길!
라저!
슈웅
쿠오오오오오오오
요~!

따라
잡혔어?
아니?
키이이이이이이이잉
으헉!!
앞질렀어!
오오오?

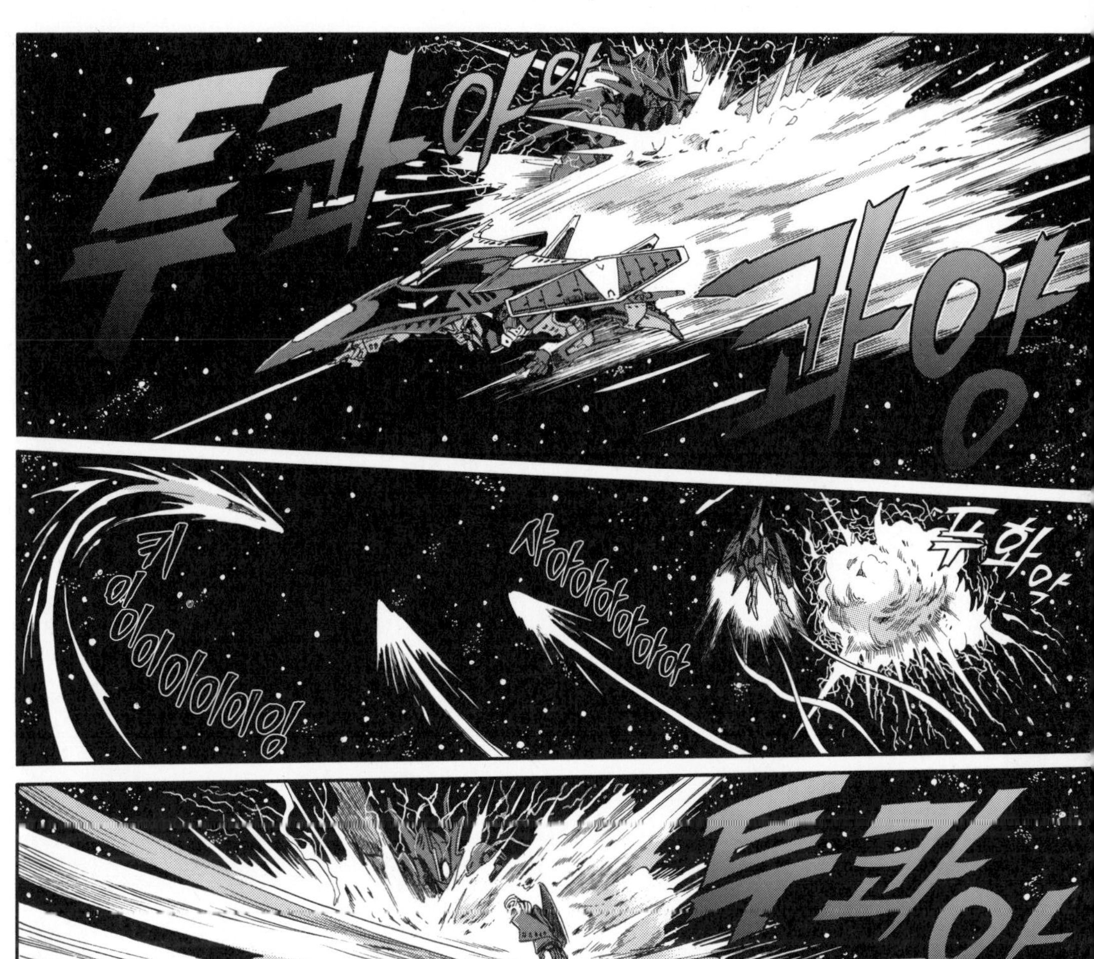
두콰아아
콰아앙

키이잉이이이이이잉
샤아아아아아아아아
두화악
두콰앙

뭐야?!
이 자식들,
GTM 맞나?
삐이이이이이이이이
마스터!
정면에!!

파아앗
투콰앙

3159 가먼트 아시리아 슈트 (파티마 솔티아)

3159 Garment Assiria Space Suit (Fatima Soltia)

전하!
그쪽에서 구조하신
기사, AF의 회수를
부탁드릴 수
있을까요?
라저…!
해본 적 없지만…
마자,
부탁한다.
어떻게 하는
거지?
삐익 삐익
쿠오오오오오오

맡겨주시길.
견인 빔으로
예항하겠
습니다.
삐빅

하하하—
우주에서는
쓰러뜨린 적을
구조하는 것도
의무요.
삐익
삐익

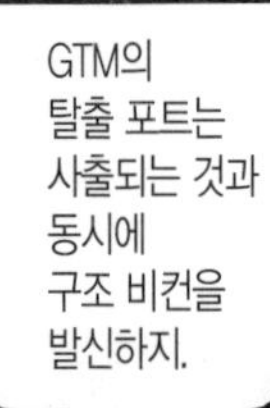

GTM의
탈출 포트는
사출되는 것과
동시에
구조 비컨을
발신하지.

그 신호로 포트는
이쪽의 제어를
받게 되고.
아군 공역이 아니면
달아날 수 없는 거요—.
이 공주가
시범을
보일 테니
잘 따라하시오.
삐—익

이마라 님,
이카루가 왕자님,
타이트네이브 공주님,
도망친 해적 두목 이하
전원 포박!
돌아오십니다!
좋아!
해적들은 모두
우리 모선으로
옮겨!!
ㅊㅊㅊㅊㅊㅊㅊ
쉬이이이이이이
파앗
키이이이이이이이이이잉
고고고고고고고고
팟

가먼트 GTM 슈트(여성)
Z.A.P. Garment Space Suit (Female)

**우주선 GTM 스테이블&
GTM 팰릿**

지상에서 사용되는 GTM 수용, 정비용 팰릿과는 달리 등 부분이 상부가 되어 GTM이 천장에 매달린 형태로 선내 스테이블(GTM 격납고)에 세트된다. 캐터펄트는 없으며, 사출은 팰릿에 현수식으로 세트된 암이 스윙해 '던지는' 형태로 사출한다. 이 암에 세트되는 것이 모든 GTM에 나 있는 요추의 거대한 2개의 돌기이다. 우주용 GTM에게 장비되는 리어 플라이어의 하모이드 추진기는 전자파와 소립자, 다크 에너지가 날뛰어 터무니없는 에너지(열)를 발산하는 관계로, 선내에서의 사용은 엄금되어 있다.

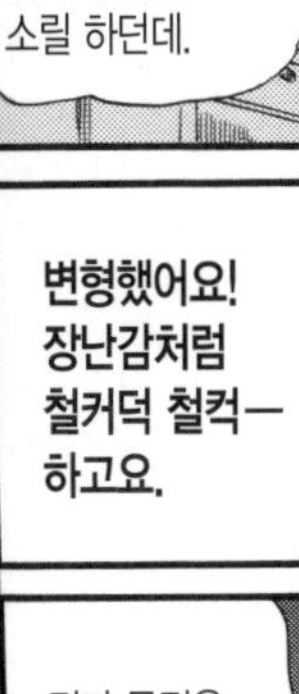
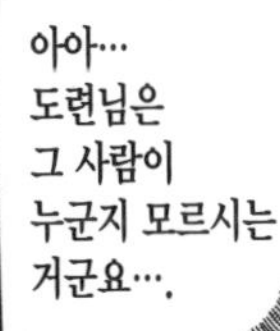

가먼트 GTM 슈트(남성)
Z.A.P. Garment Space Suit (Male)

'하빌란트'
201호기 착함!!
어레스팅 보드(구속판)
스탠바이!
GTM의 힐 아이젠
리프팅 확인!!
고오오
파괴한 GTM에
마커를 쏴뒀다!!
데브리 회수를
부탁한다.
파지직
파직
삐빅
삐-익
라저!
잔해
회수선에
연락!!
삐삐삐

고오옹
토우
스토퍼
어레스트!!

리어 앵커
고정!!
행어로
이동!
다음!
202호기
착함
합니다!
고오오옹
202호기
어레스트!!
덜커엉
우주에서
믿을 건
역시
동료기요.
저렇게 2기가
무사히
돌아오면
안심이지.
응….
하지만…

※마크 2를 스마트폰 등으로 몰래 찍으려고 하는 순간 피사체가 된 것을 마크 2가 감지, 카메라의 데이터를 날려버린다. 악의를 가지고 촬영하려고 하면 경고하며, 그것을 무시하면 최악의 경우 살해당한다. 단, 신기하게도 어린아이가 '멋지다~!' 하고 카메라를 들이대는 경우는 아무것도 하지 않는다….

하지만…
이렇게까지
해적들을 몰아세우면
카만토의 도마가
과격한 행동에 나설지도
모르는데….

그러게—.
네 모성
이기도 하니
말이야….
시지락에
이오타의
일부를
배치해둘까?

하, 핫슈 공!
그, 그건
고맙긴…
하지만,

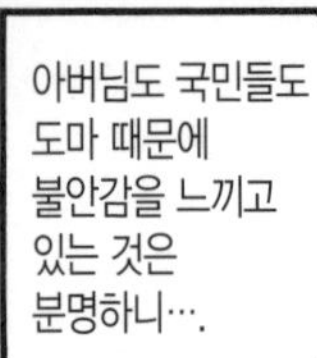
아버님도 국민들도
도마 때문에
불안감을 느끼고
있는 것은
분명하니….

그럼
아버님에게
사전 교섭 좀
부탁해.
이오타의
주둔을
경계하지
않도록
말이야.

사전
교섭…
정치라….
지금까지
나는 무엇을
보고 있었던
걸까….

일단은
형식적으로
감시 중
아아—
전부… 전—부
털어놨…는데—
진짜 귀신 공주야—
마스터~~
꿈틀
꿈틀

약 반년 전…
플로트 템플
……
예?
츠츠츠츠츠

서태양계의 인신매매 조직을 치라고 하셨습니까? 폐하…?
응.

네 조사에 의하면 도마 · 우모스 연합이 타 행성이나 타국에서 생산하는 헬리오스 강을 고가에 사들이기 시작했다면서.

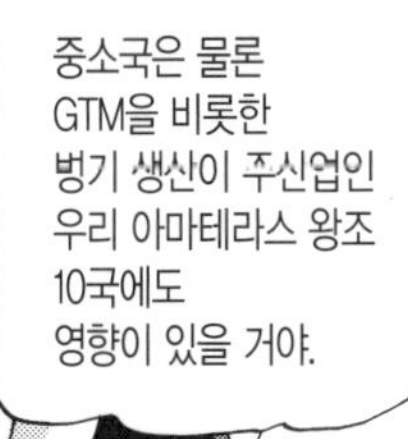

헬리오스 강 시장을 마음대로 주무를 수 있을 만큼 매점매석을 하려는 거겠지.
스윽 스윽
중소국은 물론 GTM을 비롯한 병기 생산이 주산업인 우리 아마테라스 왕조 10국에도 영향이 있을 거야.

도마에 대해 각국에서 경고하는 것처럼 비치도록 처리 부탁한다.
이마라, 네 뜻대로 알아서 하면 돼. 그럼 맡겨둘게.

폐하!!
그렇다면
카만토
암빌란
광산의
난민들도!
처억
난민들이
강제 노동에
이용당하고
있음은 알고
계실 터!

네 모국인
시지락에게
도마가
위협이니까?
딸깍

우……
그, 그것도
있습니
다만….

카만토 성
시지락 왕녀
타이트
네이브.

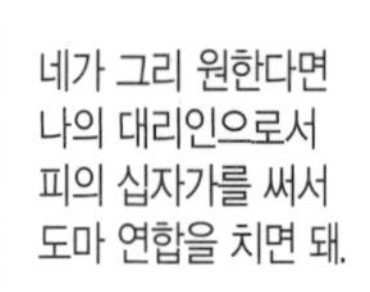

너는 미라쥬 기사지?
나의 이름으로 A.K.D.도,
군도, 각 국가 기사단도
너의 독단으로
움직일 수 있는 권한이
이미 주어져 있을 터.
네가 그리 원한다면
나의 대리인으로서
피의 십자가를 써서
도마 연합을 치면 돼.

예…?
그, 그건
폐하가
그것을
원하신다는?

아니,
A.K.D.의 입장상
추축 쪽에 붙은
도마 · 우모스
연합을 건드릴
수는 없어.
암빌란 광산을
해방하는 것은
미노그시아도,
정의의 용사도
아니야.
난민들의 결의이지.
공적으로
묶고 있었던
머리를
풀었다

도마를…?
제가…
군을
움직여서
…?

……….

저는… 저는 아무것도 할 수 없습니다.
군을 움직일 실력도, 다른 무엇도 없으면서 폐하께 진언을 올리다니, 이런 주제넘은 짓을….
폐하의 대리인으로서 그 권한이 주어져 있다 해도…
지금의 우리로서는 무리겠지.
과거 내가 어렸을 적에 저지른 짓은 폐하께 응석을 부렸던 것뿐이라고
그렇게 말한 건 쟈쟈잖아?

못 봐
주겠군!

우~~
그 말
그대로요~.
나 자신이
한심할
뿐이오~.

울 시간이
있으면
이마라의
방식을 보고
배워둬라!
이마라의
우주군
총사령관 직함은
장식이 아니야!
사리온!
타이트네이브와
함께 가라!

네 녀석도
얻는 게
있을 거다.
나는 사적인
볼일이 있어
미노그시아로
간다. 둘이서
사이좋게
잘해보도록!

벌떡
무슨!!
처억
사적인
볼일이라 함은?
로그너 사령관…
바빌론 국왕이
친히 움직일 만한
일이오?

나에 관해 몰래 캐고 다니는 자가 있더군….
그동안은 그냥 봐주고 있었다만, 이에타까지 조사하기 시작한 이상 처분 대상이야….
흥 흥
이에타에게 내장된 전개식을 발견했겠지….
아르세닉 공이 남긴 추론… 그 녀석이 페이트 공국에 있었던 이유다.
아르 세닉…?
그게 누구요?
크롬 발란셰 공의 어머님이지.
후아~ 암.
주탑옥좌 도해(圖解)
뒷부분이나 탑 내 절반 정도는 일반 공개되는 공공장소. 아랫부분 중앙에 국회가 있다. 최고 기밀은 전부 지하에.
쓰지 않는 옥좌
아마테라스가 자주 머무르는 다다미방
제2옥좌 아이샤가 쓴다
일반 전망대
현수식 상점가
대회랑
연설대 3070년에 아마테라스가 쓴다
스펙터가 낚시를 하곤 한다
라키시스
원로원 반대쪽은 상원 하원은 탑 내부 중앙
정면 게이트 츠반치히가 여기로 왔다 블랙 쓰리도

또
소프 님이랑
어딘가
가고 싶다ㅡ.
무슨
이벤트라도
일어나진
않으…려나.

변화…
그것을
바라는가?

그대의
머리카락 사이에
단말을 남겨둬
이쪽 세계를
살펴보고
있었다만….
파앗
어?

이쪽 세계에 실체화할
몸을 만드는 데에
'시간'이라는 것이
소비될 줄이야….
후오옷
번쩍
어라?
이 목소리….
가만 있자….
콰아아아아
그도…
그렇군.
기억에서는
지워졌을
테니까….

나를 알아보지
못하겠나…?
일전에
그대와 싸웠던
고리리다
루리하다.
후오오오오오

전하~!!
비 전하!!
부웃
파앗

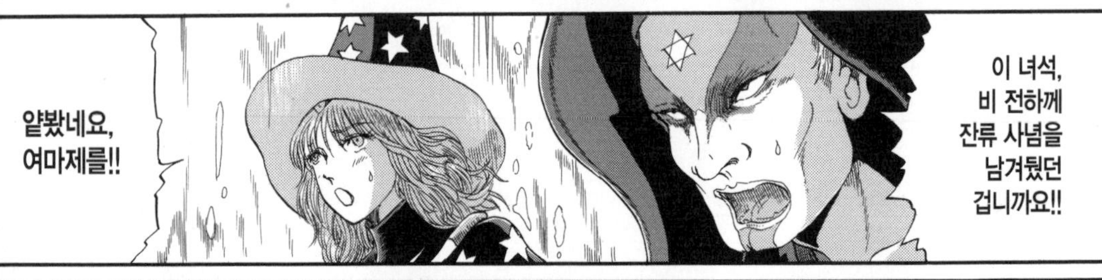
얕봤네요,
여마제를!!
이 녀석,
비 전하께
잔류 사념을
남겨뒀던
겁니까요!!

파앗
라키시스으
~~~~의!
퍼엉
센트리를
부르겠습니다!
가까이 있는 건
마그마인가요!!
고오오
물벼룩
씨?
~~~~

뚜벅
관둬…,
포터.
주탑이
부서지는 걸로도
모자랄걸.

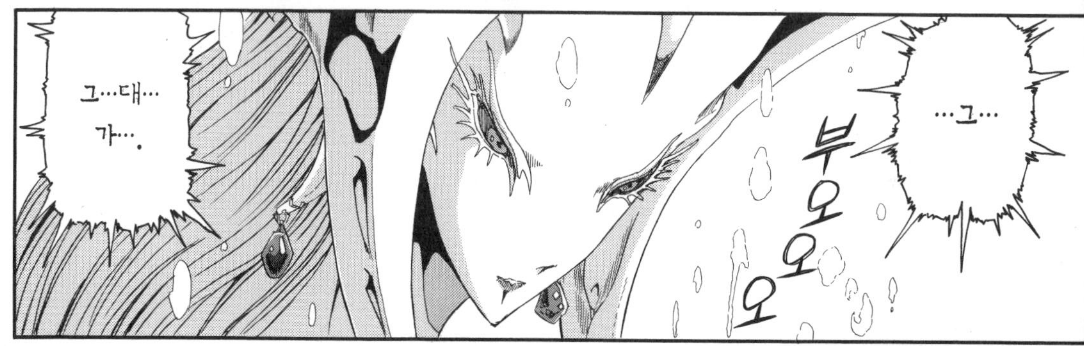
…그…
부오오오오
그…대…
가….

폐…
폐하….
이,
이 녀석
은…!
라키시스,
이 커다란
누님한테서
적의가 느껴져?
또 굉장한 게
왔는걸—
앗….
아, 아뇨,
딱히….

그럼
괜찮지 않나?
이 누님은
네 친구가
되고 싶은 것
같은데.
부오오오오오오
나도 남한테
안 보이는
친구가
아기 때부터
잔뜩 있었단
말이지ー.
단지 좀
크긴
하네ー.

응? 잘은 모르는데? 나라고 이 세상 모든 걸 아는 것도 아니고.
너희도 센트리와 관련이 있다는 것까지는 알지만 너희의 정체가 뭔지 같은 것도 모르거든.

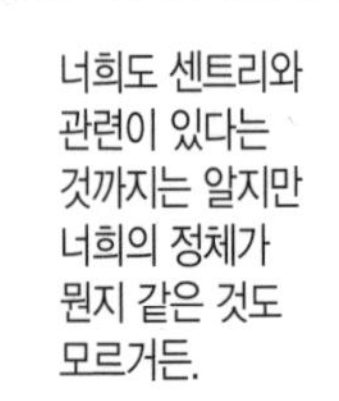

아, 아니, 폐하!!
이 녀석의 정체가 뭔지 아실 텐데요! 대체 무슨 목적으로 비 전하께 붙어 있었을지!

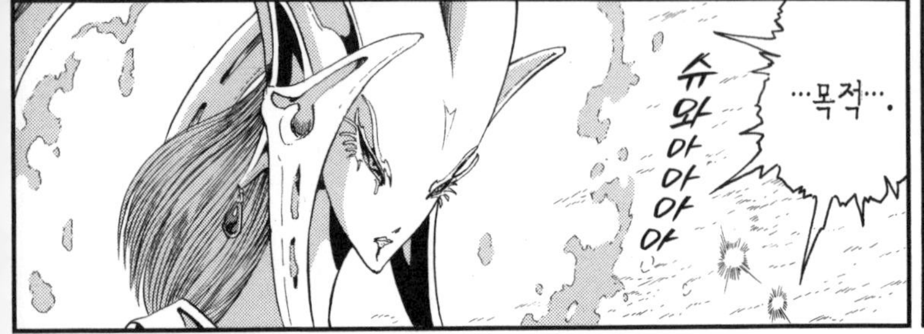
…목적….
슈와아아아아

나는 이 소녀의 말에 이끌렸다….
그 말은 길이 막혀버린 우리의 길잡이가 되어줄 테지… 이세계(異世界)의 차원 전환에 매달릴 필요 없는….

거기에 이르기까지 긴 시간이 걸릴 터. 그 말을 얻기까진….
무엇을 거쳐 그 말이 된 것인지, 그 과정을 나도 보고 싶다….

내 맹세하마. 이 소녀 라키시스를 전지(全知)를 다해 지키겠다고….

소프.

이게 무슨 일이냐! 어찌 이런 자가!!
아, 어마마마.
파직

로그너! 이 녀석을 없애 버려라!

폐하께서 친구라고 하신 이상 제가 나설 계제가 아닙니다.
뚜벅

로그너! 얼빠진 소리 말고! 아주 천하태평이구나!

비 전하의 관련자라면 비 전하께서 어떻게든 하시겠지요.
저건 모나크 기(紀)보다 아득히 먼 옛날의 초집적 항성의 의사체거든요— 50억 년 정도 전의
위험하다면 삼위일체의 그 굉장한 게 나왔을 겁니다.

음~.
에이~ 분한지고—
로그너 사령관, 미코토 님께는 늘 존댓말이야. 어째서…?

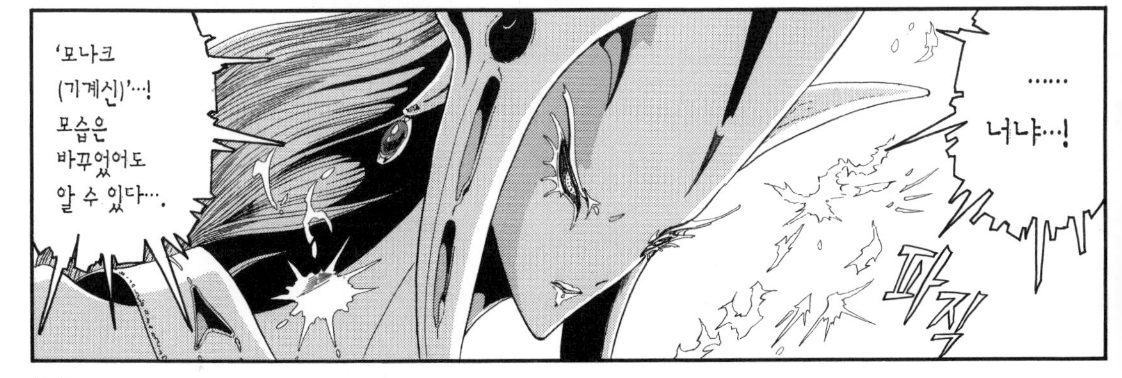
……
너냐…!
'모나크(기계신)'…! 모습은 바꾸었어도 알 수 있다….
파직

초태고(超太古)…
창세 전의 거대 병기…
인간의 꿈…
자신이 만든 별
고더스의 주인,
본체는 집적(集積)
항성에 있으며…
4개의 태양계를 모아
지금의 형태로 만들고…
이계의 에너지를 갈구하는
우리와 그 중개자
모이큐도의 거대선
스턴트 유성조차
제압했지.
통제 시스템이
된 뒤
그 마지막 시대에는
계산식만의
존재가 되어
나머지 4개의 별을
수식 붕괴시켰고.
20억 년
이상에 걸친
4번의 시대의
관리인으로서
무엇을 보고
싶은 것이냐?
파직
파지직
세계창세식
(4개의 힘)이
내장된 제어 장치
'소자 공주(素子姬)'
파티클 프린세스도
지금은
네 곁에 두고서.
쓸데없는
소리 마라.
뭐, 이 관객
앞에서는
문제가
없겠다만….

저기―
그러니까
누님은
라키시스랑
같이 있고
싶다는 거죠?
음~~
방금 대화를 하나도
듣지 않은 두 사람
어려운 얘기는
그냥
다 패스―
호에―.
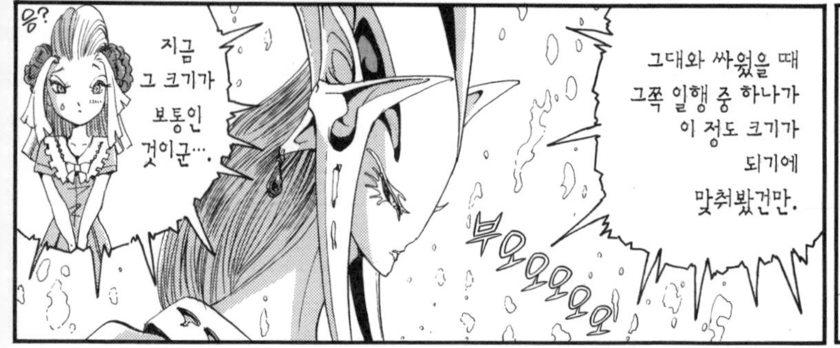

같이 있는 건
좋은데,
그 크기론
좀―.
그대와 싸웠을 때
그쪽 일행 중 하나가
이 정도 크기가
되기에
맞춰봤건만.
부오오오오오오
응?
지금
그 크기가
보통인
것이군….

아니 그게, 여기 있는 건 모두 사람이 아니라…
응? 왜 안 돼?
참고해도 도움이 안 될걸….
음?
내 아들은 어엿한 사람이거늘 뭔 소릴 하는 게야, 이 며느리는
내 얘기는 모두가 패스했겠다…
엥? 무슨 말씀을? 저희들은 인생에 도움이 안 된다굽쇼?
밥벌레다— 와—아 와—아
그건 입 밖에 내지 않는 게 약속이에요—

일단 옥좌 쪽 알현실로 갈까.
거긴 천장이 30m는 되니까—.
아니 폐하!! 지금 그게 문제입니까요~.
이, 그럼 전 옷 갈아 입는 걸 거들게요~.
또 부서지는 줄 알았네….

오~래 기다리셨습니다—.

손가락 좀 봐봐. 개수가 맞는지.

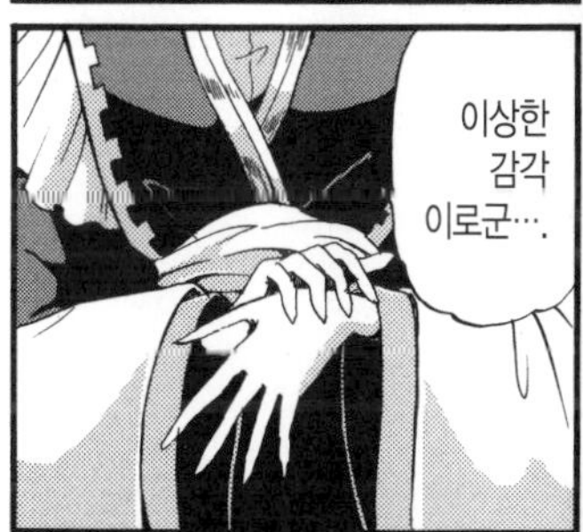
이상한 감각이로군….

아, 괜찮네.

※아마테라스 가의 고관 및 미카도와 미코토의 옷은 미기마에(상대방이 봤을 때 오른쪽 옷섶이 왼쪽 옷섶 위를 덮도록 입는 방식). 일본의 나라 시대와 같이 조정의 복식이 미기마에로 정해진 시절이 있었다. 이후 히다리마에(상대방이 봤을 때 왼쪽 옷섶이 오른쪽 옷섶 위를 덮도록 입는 방식)가 되었지만… 애당초 현대 일본의 기모노는 미기마에와 히다리마에, 둘 중 어느 쪽이든 상관없다(일부 불교 종파 제외). 아니, 예복이 아닌 한 옷을 어떻게 입든 이러쿵저러쿵 마셔! 입니다.

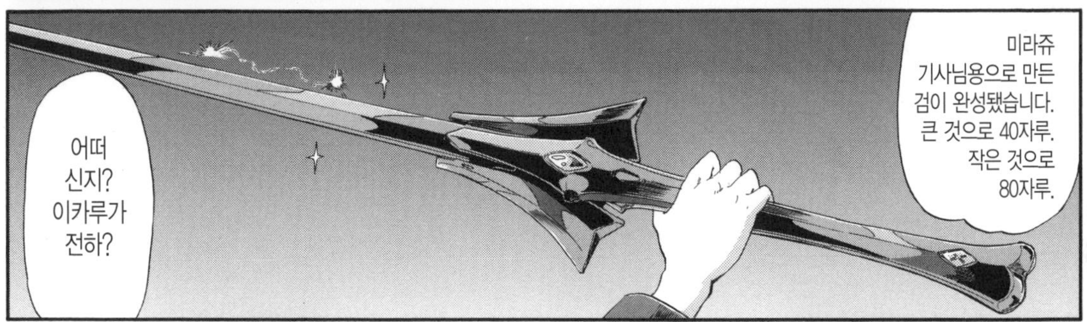

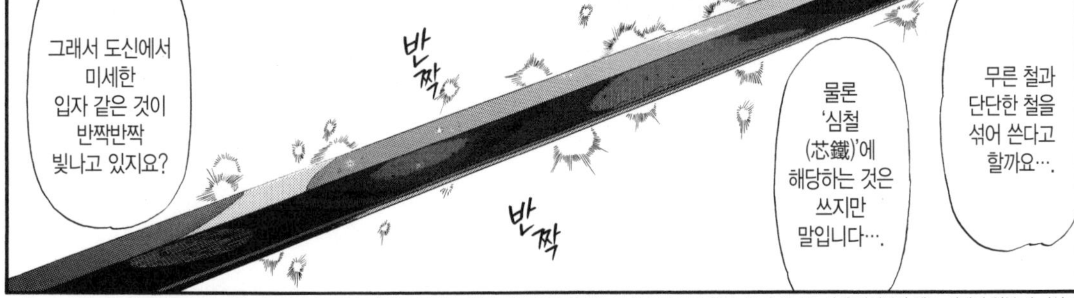

※센고쿠 시대 이전의 일본도가 이 같은 구조이다. '고도(古刀)'라고 불린다. 아직 어떻게 만들어졌는지 알려져 있지 않다. 한편 센고쿠 시대 말기부터 에도 시대의 일본도는 '신도(新刀)'라고 하며, '옥강'을 써서 대량 생산에 적합한 단조법이 되었다. 둘 중 어느 쪽이 더 좋다, 그런 것은 없다. 아마 옥강을 쓴 일본도 쪽이 베기는 더 잘 베었을 것이다.

단단하고 잘 베는 것은 옥강 쪽이겠지만, 그 대신 유연함이 없답니다.
제가 만드는 검은 잘 버티고 가볍다고들 해주시지요. 하지만 이것은 취향 문제로,
둘 중 어느 쪽이 더 좋은지는 기사님의 취향에 달려 있답니다.

돌아오시길 기다렸어요, 아뎀 씨.
그 분위기론 이번에도 단서가 없었나 보네요….

산죠 씨?

딱하게도.
다이몬, 보여 드려.

이건 38년 전 난민 스테이션을 습격한 해적이 빼앗아 갔던 선내 데이터예요.
삐익
습격 당시의 명부, 각 병실의 상황… 따님의 이름도 있어요.

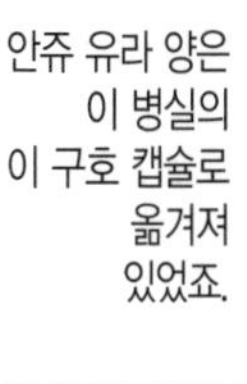
안쥬 유라 양은 이 병실의 이 구호 캡슐로 옮겨져 있었죠.
츠고오오오옹!!
그리고 해적의 공격으로 이 병실은 폭발에 휘말려서…

예?

스테이션의 격벽이 부서져서 캡슐은 밖으로 날아갔어요.
캡슐이 날아가는 모습이 습격한 해적 GTM의 카메라에 찍혔죠.

스테이션과 GTM의 영상을 토대로 캡슐이 날아간 방위, 각도, 스피드를 산출해어요
캡슐의 궤도를 다이몬이 계산한 데이터가 여기 이것….
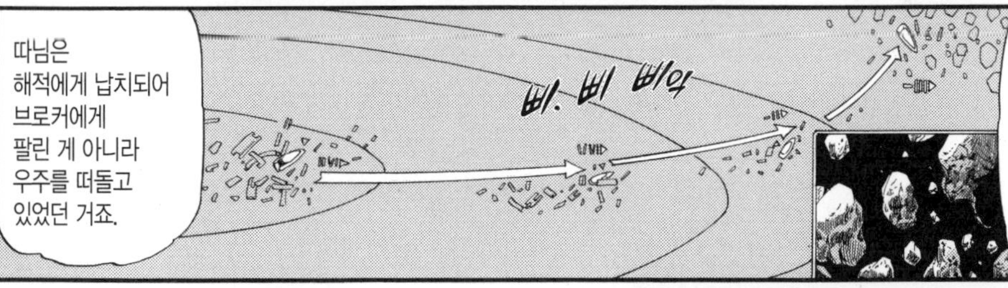
다른 파편들과 서로 부딪히며 천천히 속도가 떨어져 결국 소행성대의 중력권에 붙들렸다고 치면,
삐. 삐 삐익
따님은 해적에게 납치되어 브로커에게 팔린 게 아니라 우주를 떠돌고 있었던 거죠.

그리고 캡슐이 이끌린 대략적인 위치는 데브리가 모여 있는 여기.
삐익!
다만 캡슐이 구난 신호를 계속 발신하고 있었다면 이미 누군가가 구조한 뒤일지도 몰라요.

산죠 씨!
벌떡
그거면 충분해요! 당장 가보겠어요!!

헤어드 글로버 신관장님이 아니신가요?

전 학생 시절 란의 교도 학원 기사과에 다녔는데… 그때 몇 번 뵌 적이 있죠.
평소엔 무구미카 님과 쭉 하스한트에 계시니까 뵙기 힘든데—
아! 신관장님, 란에 돌아와 계셨네
필모어 여왕… 말씀이시죠?
알겠죠? 그 전설의 바보 학생 같은 사례가 두 번 다시 나와선 안 됩니다
현 지대장
유학생

아뎀 씨! 잠깐만요!!

뭐, 제 가슴속에만 담아두도록 하겠지만요.
실은 저, 스즈카 시장님에게서 미노그시아의 도마 제(製) 헬리오스 강의 흐름을 감시해달라는 부탁을 받아서 말이죠.
미노그시아에는 란 지대의 드뇌브라는 학우도 있고요.

아마테라스 폐하께서 그러셨다나요.

데프레 공이 깨어나신 것은 누님 되시는 마그달 님이 깨어나셨기 때문일지도 모른다고요….

하지만 지금 조바심은 금물이에요.

따님의 위치가 밝혀지면 잠복하고 있던 독거미도 기어 나올지도 모르니까.

미노그시아의 전황이 정체되어 도마의 매상이 떨어지기 시작했어.

평의장
남구 리더
거기에 이오타 우주 기사단이 난민 인신매매 루트를 차례차례 박살 내고 있다고 하더군.

그래. 덕분에 요즘 도마의 심기가 몹시 불편한 모양이던걸.
북구 제작부 리더
동구 리더

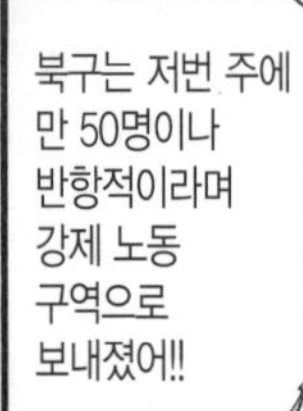
북구는 저번 주에 만 50명이나 반항적이라며 강제 노동 구역으로 보내졌어!!

동구는 더해! 다치는 사람도 늘었어!
서구 리더
노이 의장
지난 반년 동안 30명 넘게 '사고사' 했다고!!

이런 상황이 계속되면 더욱 탄압이 심해질걸!
각 지구 리더들! 어쩔 거야?!

이대론 우리도 언제 죽을지 몰라!
배급도 줄어서 눈앞이 캄캄하다고!

들고 일어나자! 도마 놈들에게서 여길 해방 시키는 거야!
맞아! 여길 옛날처럼 자치구로 되돌리자!!

잠깐, 잠깐!
다들 목소리가
너무 커!
도마 귀에
들리겠네!
모처럼
전 구역이 모인
집회잖아.

차라도
들면서
한숨 돌려!
여기~
자, 다들
한잔해.

안쥬,
루이보스
민트티야.
잘
마시겠
습니다.

당신도
한잔해.
슥…

이마라 공의
정보대로 7년 전
남동생이
깨어난 것과
같은 시기에
도마에게
구조된 소녀.
당신이
도마에 잠입해
얻은 정보가
맞았군….
'브로즈'.
하지만
목표가 가명을
쓰고 이는 이상,
섣불리 우리가
움직였다간
도마를 통해
바하트마에
알려질 수 있어.

무츠코 누님….
난 여기
사람들이 좋아.
…개인적 감정은
배제해야
하겠지만….
나도 알아.
놈(보스야스포트)
에게
빚은 갚고 싶지만….
찾고 있는
란 사람들이나
이오타 쪽에도
알려져서는
안 된다는 건
말이야….

자, 그럼…
한숨
돌리기도
했겠다,
안쥬,
네 의견을
들어보고
싶구나.
다들
그럴 테지?

오오,
이 아이가
안쥬였군.
지금
광산의 상황,
도마의 탄압,
네 생각은
어떻니?

네…?

그…
그게….
아직 우리가
움직일 때는
아닌 것
같아요.
지금 행동에
나선다고 해도
미노그시아의
싸움이
끝나지 않는 한
아무것도 변하지
않을 거예요.

그래,
실제로도
그럴 거야.
하지만
미노그시아의
싸움은
언제 끝날까?
언제
진정될까?

맞아,
미노그시아에
변화가 없는 한
우린 쭉
이대로야!!
그런 건
우리도
안다고.
그러
니까…!

하지만
변화가
시작되고
있어요….

이오타 우주 기사단이 움직여 도마에게 난민을 공급하고 있던 해적들을 박살 내기 시작했죠.

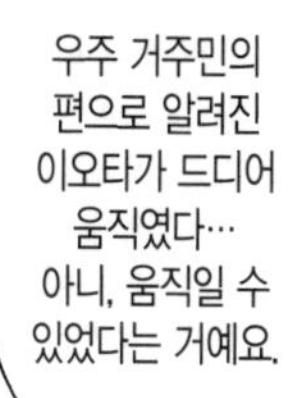
우주 거주민의 편으로 알려진 이오타가 드디어 움직였다… 아니, 움직일 수 있었다는 거예요.

웨스터의 우주 의회가 이오타의 활동을 막지 못했어요.
지금까지 우릴 못 본 척하던 우주 의회가요.
콰오오오오오오
이오타가 움직였다는 건, 의회를 압박하는 강한 힘이 작용하고 있다는 게 아닐까요?
고고고고고고고

으음… 그건 우리의 생각도 같아.
그렇기에 더더욱 지금이 봉기할 시기라는 생각을 하기 시작한 건데.

이야기를 좀 되돌릴까. 안쥬는 왜 좀 더 기다리는 게 좋다고 생각하는 거지?
그리고 이오타의 뒤를 봐주는 곳이 있다면 그건 어디라고 생각하고?

필모어 제국, 쿠발칸 법국… 미노그시아에 빚을 지워두고 싶은 국가겠죠.
필모어 제국은 황제의 건강이 좋지 않다는 이야기가 여기까지 들려올 정도예요.
그런 상황에 여기까지 손을 뻗칠 거라고는 생각하기 어렵죠….

만약 필모어가 지금 움직인다고 하면 필모어 황제의 병을 구실로…
저들이 주둔 중인 나카카라에서 뭔가를 일으키지 않을까요.

그리고 쿠발칸은 남부 나오스 국과의 안전 보장 조약을 체결했죠?
나카카라 왕국
기렐 하스하 왕국
나오스 국
웨스트 카스테포
차기 법왕으로 알려진 레이박 경이 주목을 모으고 있는 사이에, 논나 스트라우스 신관장이 독단으로 기렐 왕 로마 기와 밀약을 맺어서…

원래 기렐의 보호하에 있던 나오스 국을 사실상 속국으로 삼았어요….
다시 독자 노선을 걸으려고 하는 남부 미노그시아와 쿠발칸에게 우주는 눈에 들어오지 않을 거예요.

그냥 제 생각이지만 우주 의회를 움직인 건…
A.K.D. 일지도 몰라요….

뭐어?!
설마!

이오타의 단장 핫슈 공은 미라쥬 기사단의 이마라 님의 친아들.
이유는 그것뿐이지만 이오타가 움직인 건 사실이죠.

중공업 국가인 A.K.D. 동방 10국에게 도마 연합의 헬리오스 강 독점이 방해가 되었을 가능성도 있어요.
솔직히 A.K.D.… 아니, 아마테라스 폐하의 의중은 상식으로는 가늠할 수 없다고 하죠. 이유 따윈 없을지도요….

하지만… 움직이지 않던 것이 움직였어요…. 그렇기에 더더욱.
어디서 무엇이… 누가 움직이고 있는 건지…
지금은 더욱 신중하게 상황을 살피는 것이 어떨까요?

조요…옹

전부 맞았어…. 이유 따윈 없다…는 것까지….
이렇게 다 읽혀도 괜찮은 건가? A.K.D.…
애당초 폐하께서는 '마그달에게 빚이 있다'던가 하셨지만, 실은 그런 거 없고 그냥 말해보고 싶었을 뿐이라고도 하셨으니까.

그래….
의견 고맙다,
안쥬.
오래 붙잡아
미안하구나.
아일,
안쥬 좀
바래다주렴.

그럼!
안쥬,
가자!
응!

역시
안쥬는
대단
하다―.
뚜―벅
뚜―벅

신비한 아이야,
안쥬….
그 말에 빨려들
것 같아….
그래…
참 놀라워.
지금은
봉기할 때가
아니다…라….

다들 흥분해
있었는데
순식간에
차분해진
것 봐.
그 목소리…
그 말…
어린애
인데….

요즘은
서구뿐만 아니라
다른 구역 녀석들도
그 아이를
'시녀님'이라고
부른다지.
그래,
그런가 봐.

옳거니!
그거
좋은데!!
왈
왈글
왈글
시녀님
이다!!

우리의
시녀님이라…
그렇군,
높은 데 올라앉아
있는 게 아니라
모두의 이야기를
들어주는….
전 구역의
규합에도
딱인걸.

우리는
미노그시아에게
버림받은
난민이야!!
그럼 우리에겐
우리의 시녀님이
있어도 좋잖아!
우리의 시녀님이!!

카만토의
시녀….
좋은
이름
이군….

그래!!
카만토의
시녀!!
우리의
시녀님이야!!
카만토의!!

뭐어?

시녀
라고…?
말도 안 돼.
이, 이건
중대한
사태야….

미노그시아
인에게
그 말의 무게는
엄청나….
즉시
보고를…
아냐! 안 돼!!

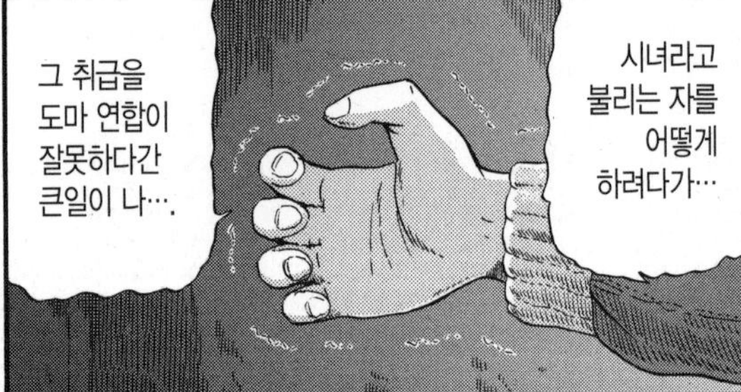
시녀라고
불리는 자를
어떻게
하려다가…
그 취급을
도마 연합이
잘못하다간
큰일이 나….

제길!
잠자코 있는
수밖에
없는 건가?!
퍼억
진정하자!
안쥬 녀석,
아아아…!
제길!!

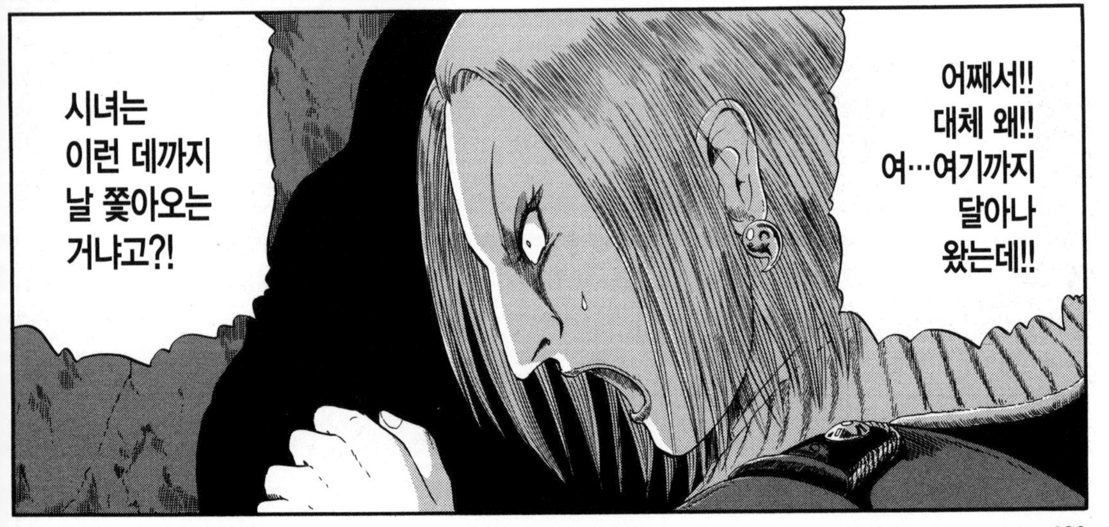
어째서!!
대체 왜!!
여…여기까지
달아나
왔는데!!
시녀는
이런 데까지
날 쫓아오는
거냐고?!

=보오스 성= 위성 궤도상
츠츠츠츠츠츠
고고고고고고고
휴—웅
휴—웅

츠고고고고
고고고고고

고고고고고고고고고고고고
고고고고고고고

감탄스러울 따름입니다, 왕 폐하….
고고고고고고고고고
반짝 반짝
설마 보스야스포트 주재와 친히 회담을 하실 줄은….

바하트마… 추축 전군(全軍)과의 공동 작전….
마침내 결단을 내리셨군요….

이번 한 번뿐인 밀약일세. 실제로 만나서 확신했네만 보스야스포트 주재는 '군주'다운 인물, 신용할 수 있는 분이더군.
이 회담과 밀약은 극히 일부 원로밖에 모르네. 황제 폐하도 의회도 기사단도 모르는 일이야.

최근의 다이 그 폐하는 뵈옵기조차 비통할 따름….
폐하의 옥체는 서서히 움직이지 않게 되고 있지.

좀처럼 진척이 없는 나카카라 쪽 현황에도 심려하고 계시는 데다, 정무도 뜻대로 풀리지 않고 있고.
미노그시아에 대한 회유책이었던 시녀 푼푸트와의 혼인 건도 이런 상황 속에서 흐지부지 되었으니….
예전의 와이프 황자도 그렇고, 이것은 오랜 세월에 걸친 제국의 저주이려나….

다이 그 폐하의 염원을 우리가 이루어드려야 하네! 시간이 없어!
제국은 나카카라에서 큰 희생을 치르게 될 것이야.
ㅊㅊㅊㅊㅊㅊㅊㅊ

이제는 영웅이라면서 떠받들어지는 크리스틴 V의 목숨만으로는 모자라….
물론 크리스틴은 '미끼'로서 죽을 때까지 싸워줘야 하지만 말일세.

모든 것은 제국의 미래를 위해서…. 나카카라를 제압한다!
다이 그 폐하께서는 얼마 남지 않은 생의 막을 내리실 무대를 염원하고 계심이야….

카스테포
샷샤 타운
교외

첨벙
휴──
우.

콸콸콸콸콸
기사단도
이걸로
대충 다
돌아봤네
──.
어느 나라고
할 것 없이
신규
파티마가
많았어─.

촤아아아아
이래서야
대학교는
무리겠네─.

촤악
그렇
지만─

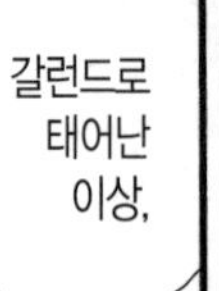

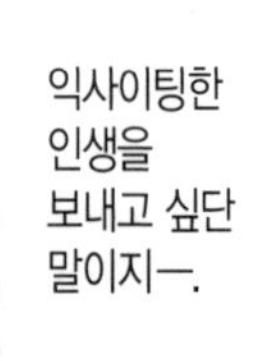
갈런드로
태어난
이상,
익사이팅한
인생을
보내고 싶단
말이지─.

?

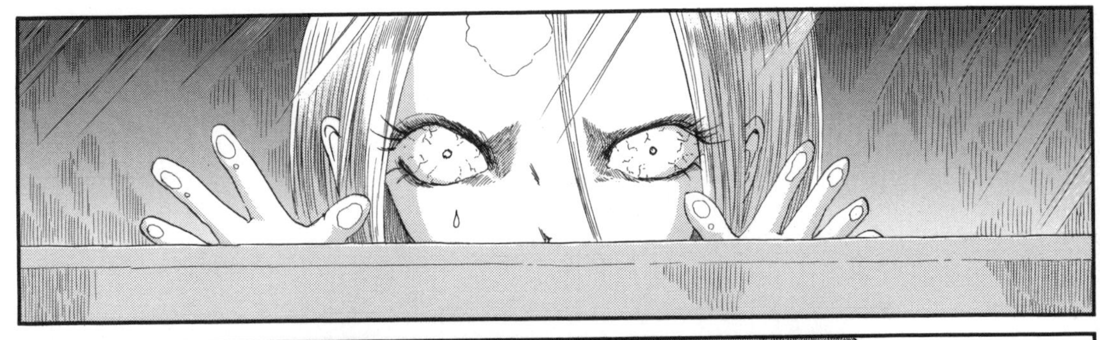

삐이이이이이이이이이
까야아
~~악!!
헉~
넘어지겠어요~

변태~
치한~!!

왜앵
왜앵
왜앵

아아… 경보가 오작동…한 겁니까?
그렇다 해도 싱 님의 안전을 확인할 의무가 있어서요….
죄, 죄… 죄송합니다….

부우—웅
휴—….
나 이거야 원!
스륵
툴툴

뭐가 나 이거야 원이야! 당신, 다 봤지!!
알 게 뭐냐! 이쪽도 욕실일 거라고는 생각지 못했다!
제길— 이에타가 모든 시큐리티를 다운시켰는데 아날로그식 경보기였다니~~ 한 방 먹었군

시끄러——!!
웃기지 마~!!
책임져—!!
책임지마!
이런 어린애 보고 책임지라고 빽빽대다니 너무하는군, 이 여자

네 녀석, 아까 익사이팅한 인생을 보내고 싶다고 했을 텐데.
엥?
부유성에는 초제국 검성도, 칼리굴라의 멤버도 있다.
거기에 더해 전설의 프로토 파티마도 있지. S.S.L.과 니브다.
기밀 사항들을 홀라당~~

응…?

발란셰 공의 46번째 파티마도 있고.
음?
음?
아직은 새파란 꼬맹이다만.
센트리의 유생도 있다.
너무 작아 보이지는 않는다만!
엥?

이차원에서 온 여마제도 있지!
마스터
뭐, 그중에서도 제일 위험한 건 나다만.
제일 위험한 건 폐하세요~

됐고 됐고, 어린애 헛소리에 맞장구칠 시간 없거든.
뭐 하러 온 거야? 당신.

네 녀석이 아르세닉 발란스 공의 연구를 조사하고 있었던 게 문제다!
네가 페이츠 공국의 루미너스 학원에 들어간 목적은 그거지?
조커 성단의 알려지지 않은 역사… AD 세기 이전 역사의 모순과 부정합성….

사쿠라코…
너는 시녀
푼푸트의 딸이다.
어머니에게서
시녀의 힘을
물려받았겠지?
그러면
두 가설에
이미
도달한 것
아니냐?
조커 성단의
진정한 역사와
자신의
혈통에?

잠깐…!
당신…!

너는
너무 위험해.
시녀도 몇 번이고
말했듯,
모르는 편이
더 나은 것도
있는 법이다.
부유성으로
와라!
평생 내가
지켜주마!
봐버리기도
했으니 말이다.

짜샤아아!
누구 맘대로
이래라
저래라야!!
빠직
자기 검열
다다다, 당신 뭔 소리야?
부들 부들

사쿠라코 님…
마스터가 이렇게
다른 분과
말씀하시다니,
놀라워요.
부디
와주시길.

…그보다
당신…
넌…….

기록에도, 전설로도 남아 있지 않은 초태고의 그 시대….
AD 세기보다 아득히 먼 옛날의 또 하나의 시대, 아즈데뷰트 기, 몬솔론 기, 캘러미티 고더스 기, 그리고 모나크 기… 그보다도 오래된 저희들.

20억 년 이상 이전의 모나크 세이크리드를 만든 인류…?
소자 공주, 파티클 프린세스…? 아르세닉 공이 이 세상에 부활시킨…?

알고 있을 테지만 그것이 네 목적이니까 말이다.
네 피에는 시녀 푼푸트의 힘뿐만이 아니라 아버지 쪽에게서 물려받은 콜러스 왕조, 그 창시자의 의사가 내재하지.

검성 하리콘의 힘을 통해 초제국 검성 라라파 쥬논의 피가, 그 잔류 사념이 네 안에 있어.
내가 초제국을 떠난 뒤…
라라파는 마지막으로 태어난 초제국 검성이다. 그녀에겐 불꽃의 여황제가 내린 특별한 사명이 있었지.

그것은 과거 존재했던 초태고의 '세계창세식'의 탐색이다. 이 우주를 구성하는 양자의 운동 기록.
라라파는 그것을 찾아 나섰지. 그 와중에 특수한 인자를 가진 일족을 발견했어.
너는 무의식중에 그것을 찾고 있었을 터. 하지만 그것은 결코 라라파의 사념 때문만은 아니야.
갈런드로서의 본능으로 우리에게 도달했지.
자신의 힘과 기억… 여황제의 사명을 사념의 형태로 계속해서 남길 수 있는 일족.
그것이 콜러스의 초대 당주 디스 퀜 라였다.
사쿠라코, 네가 향할 종착점은 아마테라스 폐하가 될 거다.
휘잉 휘잉 휘잉 휘잉 휘잉 휘잉
나와 함께 가자! 미라쥬 기사단으로 말이다!
카만토의 등불
마침

나카카라 왕국 왕도 근교 최종 방위 라인
최종 방위 라인의 하이랜더 지휘하 유레이 배치 완료!
도오오오오오
키이이이이이이이이이
휘잉 휘잉 휘잉
GTM 팰릿, 철수!!
즈고오
쉬리 쉬리 쉬리

케니히 공과
허슬러 공의
노이에 시르티스
흑 그룹,
동부 전선 20km에서
필모어 제3기사단과
합류했습니다!!
트라이튼 전하와
칸치안 공 배하의
노이에 시르티스
청 그룹,
북부 전선으로 급행 중.
이미 제국 제4기사단이
전투 중입니다!!
ㅊㅊㅊㅊㅊㅊㅊㅊ
휴르 휴르 휴르 휴르
보급 부대,
물러나겠
습니다!!
키이이이이이이이잉
휘이이이이이이이
휘이이이이이이이
키이-잉
키이-잉
키이-잉

제국 제2기사단,
남부에서부터
진군 중인
메요요 군과
전투에
들어갔습니다!!
츠도도도도도도도
파앗
파앗
대체 이게
어떻게 된 거죠~~!!
나카카라 전토에서
추축 각국의
진군이라뇨~?!

쿠오오오오오오오오오오
왕도
방위 라인은
크리스와
단 12기의
유레이만으로
괜찮은 건가?
어쩔 수 없어요!
적의 수가
이 정도여서야
폐하의 본진은
크리스에게
맡길 수밖에!
쿠오오오오오
하필이면
갈라의 백기사단과
제국 주둔 기사단의
절반이 본국에서
교대 중인
이 시기에!!
나카카라의 AP
디스터브 대는
왜 나서지
않는 거야?!
정마~알!!
나카카라는
전력의 절반을
동부에
보내버리는
바람에
왕도의 방위에
전념한다고!!
뭔 소리야!!
어디서
적이 솟을지
알 수 없는
판국에!
?
벨로키랍토르

링 링 링
링 링
링
우리가 할 일은 서둘러서 어디든 정리하고 본진으로 돌아가는 것뿐!
고오오오오오오
알고 있습니다! 니오! 케니히! 브루노! 제국에 검을 겨눈 적들을 뼈저리게 후회하게 해주죠!

미노그시아 전토에 흩어져 있던 추축 각국이 이 나카카라로….
링 링
대체 이게 어떻게 된 걸까….
링
리리리리링
링 링 링
고오오오오오오
그 어떤 대군이 몰려오든, 포위되든, 열세에 몰리든, 폐하께서는 이 나카카라의 대지를 절대 버리시지 않아.
나는 폐하를 지키고, 폐하께서 사랑하시는 나카카라를 지킨다!

필모어 제국 GTM 홀다 19형
황제기 나키메이카

도나우 제국 시대에 제조된 GTM '디 카이제린'과 같은 사양을 가졌다. 필모어 제국이 된 뒤로는 홀다 21형 '디 프린시펄', 홀다 23형 황제기 '다스 고스트'와 함께 제국을 상징하는 GTM이 되었다.

第6화

≡시간의 시녀≡

The Majestic Stand=Towa no Utame
Act5-1 Nacacara Defence

BOTH 3069

5막 1장

비색(緋色)의 물방울

ALL STORIES & PICTURES by MAMORU NAGANO

The Five Star Stories XVII

● EDITORIAL CHIEF of Newtype
KIYOHITO KADO

● SCREENTONE PLAYS
REIMI OKADA
MAKIKO YOSHIDA
HANA OKADA
CHIE FUJISHIMA

● CHARACTERS DIGITAL CELL PAINTING & COLORING
TERUMI NAKAUCHI (ANIMOCARAMEL)

● ART DIRECTION & ALL LOGO DESIGN
TETSUYA ASAKURA (design CREST)

● ART ASSOCIATES by design CREST
YOSHIYUKI TABATA (design CREST)

● PROOFREADING
AD–RIB
PERSOL MEDIA SWITCH

● PRINTING
YUKI SASAKI (D.N.P)
TOMOKO ISHIHARA (D.N.P)
RYUICHI KANEKO (D.N.P)
TSUTOMU KIUCHI (D.N.P)
TETSUYA HAYASHI (D.N.P)
FUMIO HORIE (D.N.P)
TATSUMI OOKI (D.N.P)
YUKO TANAKA (D.N.P)

● PRODUCE & PUBLICITY
KADOKAWA

● MAMORU NAGANO MANAGEMENT
KADOKAWA
Newtype

● WEB PUBLISHING
HIROYUKI SHIBATA
MASANORI FUJISAKI
HEARTBEATS Corporation

● THANKS
VOLKS co.
WAVE co.
PetWORKs
OUR TREASURE co.
and Gothicmade Modelers

KENJI MURASHITA
MITSUHIRO SATO (ANIMOCARAMEL)

SHINICHIRO INOUE
TSUGUHIKO KADOKAWA
NEWTYPE

MARIA KAWAMURA
IKUKO ENOMOTO
HIROKO TAJIMA
HIDEKAZU MIYAZAWA

ALL STORIES & PICTURES by MAMORU NAGANO
Cover–[Silurian period Woods] ©2023 Acrylic Colors on Paper (62.5cm x 51.5cm)

MAMORU NAGANO'S

The Five Star Stories®

SLEEVE NOTES

XVII

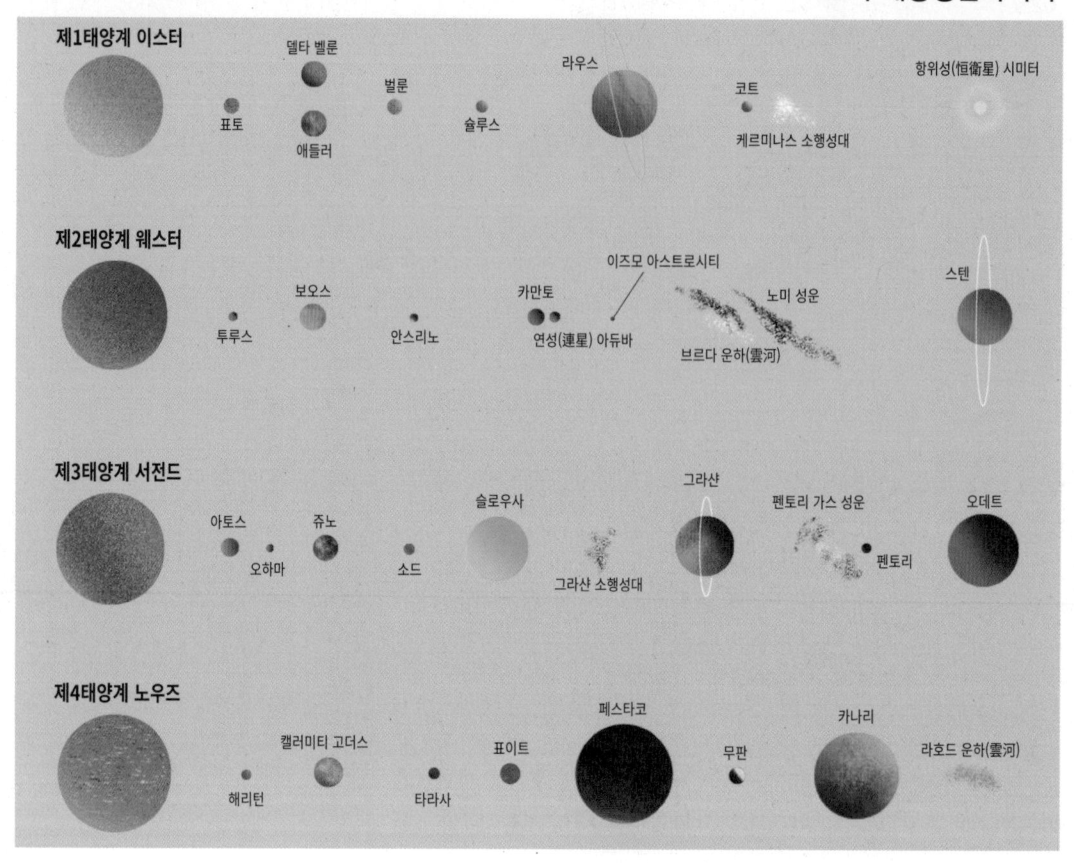

행성 카만토

카만토는 자원 행성으로서 오래전부터 이용되어왔다.
바로 옆에는 연성(連星) 아듀바가 있는데, 원래는 카만토의 위성이기도 하다. 위성치고 거대한 관계로 카만토 성의 공전 궤도에도 영향을 끼쳐서, 카만토와 아듀바는 서로의 중력에 이끌려 가며 웨스터를 돌고 있다.
카만토에 대기는 있지만 농도가 희박해 호흡에는 적합하지 않기 때문에, 사람들은 배리어를 친 돔 안이나 지하에서 살고 있다. 또한 캘러미티 고더스와 같이 어느 정도의 태양광을 거대한 증폭 반사판으로 얻는 시지락과 같은 구역도 있으며, 주간에는 저녁 정도의 밝기인 곳도 있다.

성단력 이전에는 초제국의 완전한 지배하에 있었다. 성단력 이후에는 독립하는 자치구도 늘기는 했지만, 자원을 원하는 대국의 영향하에 끊임없이 놓여 지금도 힘든 생활을 하고 있다.
카만토 성에는 독립 국가 시지락 왕국이 있다. 원래 쥬노 성에 있었던 시지 왕국이 붕괴, 거기서 달아나 온 구(舊) 왕가 사람들이 새롭게 세운 왕국으로, 4개의 인류 거주성의 국가 이외에는 드물게 성단에서 인정받은 독립 국가이다.
카만토 성은 본성의 자원뿐만 아니라 연성 아듀바나 근처에 있는 소행성대 브르다 운하(雲河)의 자원이 거래되는 중계지로, 4개의 태양계 중에서도 매우 교역이 많은 별이다.

우주에서 살아가는 사람들

이야기의 무대가 되는 조커 성단에는 4개의 항성과 각 항성계에 속한 행성이 있으며, 항성의 위성까지 합친다면 매우 많은 숫자의 천체가 존재한다.
제5의 항성은 '스텐트 유성계(遊星界)'로, 눈에 보이지 않는 암흑의 초거대 항성이 조커 태양성단의 4개 항성계의 외측을 1500년의 주기로 돌고 있는 태양계이지만, 여기서는 생략한다.

인류가 사는 델타 벨룬, 애들러, 보오스, 쥬노, 캘러미티 고더스라는 5개의 별은 인류가 그대로 생존 가능한 행성이지만, 그 이외의 우주 여러 곳에도 채굴이나 자원 개발 등으로 수많은 인류가 진출했다. 이번 권 로그너의 대사로 아득히 먼 옛날 4개의 태양계는 '조정되었다'는 것을 알 수 있다.
제1태양계 이스터의 시미터는 태양과 같은 항성이지만 매우 멀어서, 헬리오포즈(태양계 한계 영역) 정도의 위치에 있다. 그 때문에 델타 벨룬에서는 1등성 정도의 밝기로밖에 보이지 않는다.
서전드의 오데트 등도 마찬가지로 헬리오포즈보다 약간 내측의 카이퍼벨트 정도의 위치에 있는 행성으로, 각자의 태양계에 끼치는 영향은 거의 없다.

이번에는 조커 성단의 각 행성 및 소행성대, 성운 등을 새롭게 소개했는데, 모든 행성, 그 위성, 소행성대에서부터 성간 구역에 이르기까지 인류가 활동하고 있다. 이와 같이 조커 성단에는 자원이 풍부하게 존재하지만, 대국의 지배하에 놓여 있는 등 거대한 이권이 얽힌 곳이 많아서, 제1권을 봐도 알 수 있듯이 국가 간 트러블의 씨앗이 되곤 한다.

우주용 GTM 바가 하리 SPK 대 단다그라다

기본적인 구조는 바가 하리와 완전히 같지만, 회전하는 콕피트나 복사(輻射) 플라이어의 채용이 지상용 GTM과 다르다. 우주 공간에서 전투하는데 손발이 달려 있는 것은, 복사 플라이어의 추력이나 압력을 중력처럼 다루는 전투 방식이 효과적이기 때문이다. 대시해 적을 베러 달려들 때는 등 쪽 플라이어의 추력이 지면과 같은 반발력을 만들어내, 지상과 다름없는 감각으로 전투가 가능하다.

조커 성단에서도 우주 공간에서의 발열 문제는 난점이 크다. 이것은 지상이나 대기권 내와 같은 열 교환이 되지 않기 때문이다. 대기권 내에 시타된 공기나 물, 바람을 이용해 발생하는 열을 대기로 확산 냉각, 대류, 열전도 처리할 수 있지만(내버려둬도 식는다는 현상이다), 대기라는 열전도 공간이 없는 우주에서는 발생한 열을 전자파로 변화해 복사(輻射)할 수밖에 없기 때문에, GTM의 발열 문제는 지상보다 더 난점이 크다.
태양이 비치는 곳에서는 태양의 열에 더해 맹렬한 방사선이 외부에 열을 가하며, 태양이 비치지 않는 곳은 거꾸로 절대영도에 가까운 저온이 된다. 그 때문에 GTM이나 우주선은 전자파 반환 복사(輻射) 시스템을 탑재, 막대한 전자파 열 에너지를 외부로 계속해서 방사한다.
발생한 열은 우선 등 부분 중앙의 열 체임버로 보내지며(열 이동), 그 열은 등 부분 양쪽 어깨의 아이들러 플라이어로 다시 보내지고, 여기서 강제 전자파 방사된다. 막대한 열을 만들어내기 때문에 우주용 GTM이 만들어내는 전력은 터무니없는 레벨이지만, 애당초 GTM은 열 전송 시스템을 전신에 내포하고 있는 관계로 우주용 GTM과 지상의 일반 GTM은 구조적으로 그리 차이가 없다.
일반적인 GTM이 대기가 없는 행성 등에서 전투를 할 때는 등 쪽의 플라이어가 이 열 복사(輻射) 플라이어로 교체되는 정도이다. 물론 우주 공간에서의 비행도 가능하다.
그렇다고는 하더라도 그것은 어디까지나 대기가 없는 행성, 위성의 지상에서 싸우는 경우로서, 우주 공간에서의 운동성이나 고속으로 장시간 날아다니는 데에 있어서는 역시 우주용 GTM이다.

우주용 GTM 슈트

우주에서는 지상과 달리 긴급 시 기사의 보호나 생명 유지를 최우선으로 하는 슈트를 입는다.
질량이 그대로 관성의 대미지가 되는 무중력 공간에서, 콕피트는 전부 캡슐화되고 슈트는 방사선 대책 및 충격 보호 젤 내장, 산소 공급 시스템이 필수이다. 또한 우주 공간 특유의 장비로서 인간이 배출하는 분변 등을 순간 분해하는 시스템도 내장되어 있다. 이들은 원소로 분해되어 물 등의 화합물로 재생된다.

미라쥬 기사단의 우주용 GTM 슈트

기본적으로 전원 동일 사양의 슈트이다.
우주 공간에 단독으로 방출되는 경우 등에는 긴급 시그널을 겸해 발견이 쉽도록 슈트가 발광한다.
남성은 팬츠 스타일이 많고, 여성은 스커트 타입이다. 슈트 천의 각 부위에는 미라쥬 기사의 퍼스널 컬러가 쓰이는데, 이마라는 울금색 즉 옐로이다. 이카루가는 원래대로면 흰색이지만, 보다시피 아이샤와 짝을 이루는 사정관의 컬러를 곁들인 등자색이다. 마찬가지로 흰색이 퍼스널 컬러인 매드라도 핑크를 쓰는 등, 예외도 많다.

우주에서는 독자적인 불문율이 있는데, 적이든 민간인이든 전투 시 이외에는 구출 행동을 최우선시할 것 등, 과거 바다의 규칙과 같은 것이 존재한다.

솔티아의 이오타 재적 당시 슈트

얼핏 보면 데카당 슈트로 보이지만, 이것은 플라스틱 슈트이다. 보닛을 떼어냈을 뿐이다. 솔티아는 마스터인 이마라와 더불어 우주에서의 활동도 많기 때문에, 무겁고 두꺼운 슈트가 아니라 선내에서도 가볍게 움직일 수 있는 디자인이 되었다. 타이츠를 입고 있는 것으로 보이지만, 상완을 보면 알 수 있다시피 팔꿈치에서부터 손끝까지와 장딴지에서부터 발끝까지 커트된 스페이스 슈트를 껴입고 있다.
모든 파티마가 보닛+원피스로 이루어진 플라스틱 슈트를 입는 것은 아니고, 이 솔티아와 같은 스페이스 슈트 타입의 파티마도 많다.

우주에서 사용되는 파티마 슈트

우주 공간에서는 일반 파티마 슈트로는 대응 불가능하기 때문에 특별한 '플라스틱 스타일'(플라스틱 슈트)이 사용된다. 완전 밀폐에, 머리 부분의 보닛 안에는 헬멧이나 바이저 후드가 내장되어 있다.
또한 슈트 천 외 각 부위가 발광, 조난 시의 구조도 최우선적으로 고려된 슈트이다. 일반 GTM 슈트와 같은 방어성은 없지만, 내(耐)충격에는 충분한 성능을 가지고 있다. 원래는 과거의 아이스다트 스타일적인 반(半) 장갑 슈트였지만, 세련미가 없는 헬멧이나 생명 유지 시스템을 우아한 형태의 보닛에 수납한 시안 부인의 디자인이 눈 깜짝할 사이에 널리 퍼져 이러한 모습이 되었다.

3159 가먼트 슈트

우주 전투용 GTM 슈트로, Z.A.P.~차라투스트라 아프터브링어 사용 시의 전용 슈트이다.
미라쥬 기사단의 파티마들은 일반 데카당 슈트 외에 개별 아시리아 슈트, 그리고 우주 전투용 플라스틱 슈트를 소유하고 있지만, 거기에 더해 이 Z.A.P. 전용 슈트를 가지고 있다. 이 슈트는 전원이 동일한 디자인으로, Z.A.P. 전투 시에는 상시 얼굴 전체를 가리는 마스크도 착용한다. 기사와 달리 거의 공중에 뜬 자세로 GTM을 제어하고 있기 때문에, 우주 공간 전투에서 최대한의 충격 보호를 하는 슈트이다. 후두부에서 늘어진 큰 후드에는 등을 보호하는 겔과 생명 유지 시스템이 들어 있으며, 여기에는 기사를 생존시키기 위한 예비 시스템도 겸비되어 있다. 우주 공간에 단신으로 방출되어도 이 슈트가 방사선이나 혹독한 온도로부터 지켜준다.

티타의 플라스틱 슈트

3159 슈트와의 유사점이 많은 슈트이다. 단 보닛은 방호 바이저가 겉으로 드러나 있는 타입으로, 이것을 내리면 완전 밀폐된다. 또한 흔치 않게 등과 허리에 실드가 달려 있는데, 이것은 3159 슈트의 모니터에 사용되었기 때문인지도 모른다. 아마 평소에는 떼어둘 것이다. 애당초 머리카락이 밖으로 나와 있는 만큼, 이것은 지상에서 사용하는 상태이다.

이너 후드&헬멧

보닛 안에 쓰고 있는 이너 후드에는 헬멧이 내장되어 있다.
헬멧의 방호 바이저의 밀폐는 후드 안쪽에 밀착 이너가 있어서, 그 천이 순간적으로 바이저에 달라붙는다. 바이저를 올린 채 우주 공간에 방출되어도 1초 이내에 바이저가 내려가 파티마를 지킨다. 바이저는 2중 구조로 되어 있는데, 금도금 증착(蒸着) 후드는 조난 상황 등에는 방사선 방어 상태가 되어 평소보다 색이 진해지며 방사선을 차단한다.

후드 커버와 헬멧 수납 상태

방호 바이저는 경질이지만, 후드에 감춰져 보이지 않는 헬멧 부분은 연질 소재로 만들어져 있다. 평소 후드는 뒤로 넘겨 얼굴이 드러나는 상태로 고정된다. 바이저, 내장 헬멧 모두 매우 가벼워 파티마가 받는 부담은 적다. 헬멧이 무거우면 GTM에 의한 공격 등의 충격으로 목뼈가 부러질 것이다.

손목의 실링

플라스틱 슈트는 손발의 각 부위에 품이 넉넉하게 부푼 부분이 많이 보이는데, 이것들은 에어 포켓으로 슈트 내부의 기압 조절을 담당하고 있다. 재봉선과 같이 보이는 것은 실링으로, 손가락 등의 점선 역시 실링이다. 실로 재봉된 것이 아니다. 슈트 전반의 재봉선 같은 것들은 전부 그렇다.

다리의 실링

다리는 손과 달리 부츠나 신발에 의해 실링된다. 2단으로 실링 라인이 있어서, 다리의 움직임을 방해하지 않게 되어 있다. 이들 실링은 순간적으로 작동, 1초도 걸리지 않고 완전 밀폐된다. 발에 신고 있는 것은 평범한 스타킹이다. 플라스틱 슈트가 땀 등에 의해 발에 달라붙지 않도록 하기 위한 것인데, 일반 우주복도 얇은 이너를 안에 입는다.

파티마 아리에

SPK 대 오모랄드 할의 파트너.
AP 기사단의 플라스틱 슈트이다. 우주에서 활동하는 기사단이나 그 파트너는 아시리아 슈트가 아니라 플라스틱 스타일인 경우가 대부분이다. 우주용 슈트가 필수인 것은 물론, 슈트의 소재로 발광하는 형광 원단이 사용되며, 또한 각 부위에는 점멸하는 패널 라이트가 여기저기 달려 있다. 신발이나 양말이 훌렁 벗겨질 것 같지만, 신발도 양말도 부츠 부분과 일체화 실링으로 밀폐되어 있다.

파티마 셰라스타

이전에는 미라쥬의 포에셰 노민의 파트너였다. 포에셰의 사망 후에는 '선'을 통해 구스코를 만나 새로운 마스터를 얻었다. 그녀가 입고 있는 플라스틱 슈트는 미라쥬 기사단 시절의 것으로, 그것을 아직도 사용하고 있는 것은 플라스틱 슈트를 새로 만드는 데에 많은 코스트가 든다는 문제도 있고, 또한 미라쥬 파티마가 사용하는 것 이상의 파티마 슈트는 도무지 구할 여건이 되지 않는다는 문제도 있었을 것이다. 때문에 데카당 슈트와 아시리아 슈트도 미라쥬 시절의 것을 사용하고 있다. 미라쥬 마크만은 없지만, 아마테라스 가의 톱니 문양 등은 그대로 남아 있다. 다시 말해, 이들 슈트와 함께 아마테라스는 셰라스타를 그냥 보내줬다고도 할 수 있다. 구스코가 이오타 우주 기사단에 순조롭게 들어올 수 있었던 것은 셰라스타의 존재가 컸다. 셰라스타가 인정한 마스터라면, 이라는 논리로 그렇게 된 것이다.

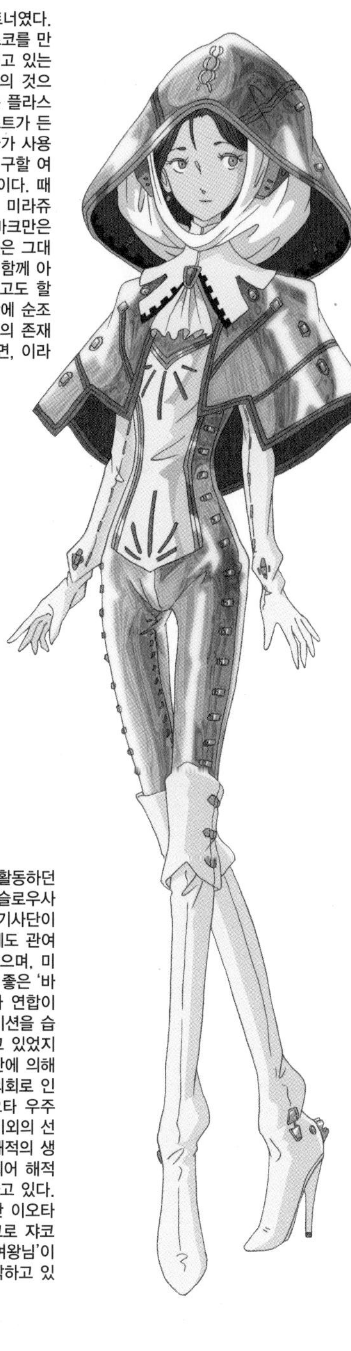

구스코 그루 대좌

남태양계 쥬노 성 일대를 제 구역 삼아 활동하던 우주 해적의 두목으로, 원래는 쥬노의 슬로우사 우주 기사단의 대장이기도 했다. 우주 기사단이라고 해도 그 성질상 비합법적인 활동에도 관여했었고, 그 뒤 우주 해적을 이끌게 되었으며, 미노그시아의 대전 발발 후에는 더 벌이가 좋은 '바다'인 보오스 성계로 이동해 왔다. 도마 연합이나 비합법 조직과 손을 잡고 난민 스테이션을 습격하거나 도마 수송선의 호위 등을 하고 있었지만, 이마라가 이끄는 이오타 우주 기사단에 의해 모선째 접수, 체포되어 서태양계 보안 의회로 인도…되었어야 하는데, 어째서인지 이오타 우주 기사단원이 되었다. 뭐, 그에게는 그것 이외의 선택지가 없었던 모양이지만, 오더 우주 해적의 생존자 모두 이오타 우주 기사단에 편입되어 해적 시절의 경험을 살린 조언을 쟈코에게 하고 있다. 3075년의 '카만토 해방전'에서는 어엿한 이오타의 대대장으로서 전투에 참가한다. 참고로 쟈코를 '도련님', 산쵸를 '누님', 이마라를 '여왕님'이라고 부르며, 자신의 입장을 확실히 파악하고 있는 모양이다.

THE JOKER STAR CLUSTER TIMELINE

연도	사건
562	행성 카마인의 중심도시인 하 리의 지명이 '성궁 란'으로 변경된다. 또한 별의 이름이 '보오스'로 바뀐다.
1000 ~	행성 쥬노에서는 콜러스 왕가 등, 힘을 가진 국가가 동태양계와 북태양계의 국가지배로부터 분리독립을 시작한다.
2014	행성 보오스, 성궁 란의 곰 지배로부터의 해방운동에 성단의 열강이 참가. '동궁서궁의 난'이라 불린다. 이 사건을 계기로 성단법 탄생. 우라늄 발란스, '꽃의 시녀'로부터 꽃씨를 받는다.
2017	태양성단 통일 헌장인 '성단법' 제정. 쿠발칸 법국의 마리나 법왕의 주도로 성단연합 성단법위원회가 설치됨.
2020	행성 델타 벨룬의 그리스 왕국에서 83대 황제인 아마테라스 왕가의 아마테라스노 미코토가 84대째가 될 왕자, 에이더스 포스(이하 아마테라스)를 출산. 선천성 백색증, 출생의 비밀 등 수수께끼가 많은 왕자였다.
2026	델타 벨룬의 천재과학자 우라늄 발란스, 생체연산이론 발표.
2087	아마테라스 왕자, 리트라와 결혼.
2089	아마테라스, 그리스 왕국의 왕이 된다.
2100 ~ ~	아마테라스의 어머니 미코토 서거. 얼마 후 처 리트라 서거. 바빌론 왕 로그너, 아마테라스 가 최고사령관에 취임.
2310	GTM을 제어하기 위한 연산기 '파티마' 탄생. 리튬 발란스 공에 의해 만들어진 파티마는 인간과 같은 생명체였다. 병기명으로는 '오토매틱 플라워즈'라고도 불린다.
2324	아마테라스, 에이더스 대륙 동방 10개국의 아마테라스 왕조 황제가 되어 델타 벨룬의 통치를 시작. 가스갈 연방과의 평화조약 체결.
2400 ~	GTM의 최강제어시스템인 파티마의 안정공급. 행성 보오스에서는 미노그시아 대륙의 패권을 둘러싼 전쟁이 격화되어 GTM 카이제린이 검성 비잔틴과 인터시티와 함께 미노그시아 독립전쟁에 참전.
2629	아마테라스, 애들러 성에서 천재과학자 크롬 발란셰와 만남.
2780	하스하 통일전쟁. 란의 시녀 볼사, 검성 카이엔을 부활시키고 미노그시아를 평정한다. 내전 종결. 하스하 연합공화국 탄생.
2810	아마테라스, 우수한 기사를 모아 근위 신예기사단 '차라투스트라 크리그 캄프리터 미라쥬'(미라쥬 기사단)을 편성.
2875	행성 쥬노, 콜러스 왕조 23대 국왕인 콜러스 3세가 탄생.
2876	행성 애들러의 발틱 아카데미에서 파티마 '에스트' 탄생.
2899	아마테라스, 델타 벨룬 전체를 통치. 행성 대통령이 된다. A.K.D. 탄생.
2946	천재과학자 크롬 발란셰, 38번째 파티마 '아우크소'를 키우던 중 의절한다. 아우크소는 성단 최초의 파티마 '포커스라이트'의 기억을 가진 복합 기억생명체이기도 했다.
2955	아마테라스, 공중궁전인 '플로트 템플'을 건조하여 성단을 경악시킨다.
2988	발란셰, '운명의 세 여신' 아트로포스, 라키시스, 클로소를 완성. '아트로포스'는 1년 전에 홀로 떠났고, '라키시스'는 아마테라스가 맞이했으며, '클로소'는 콜러스 3세에게 갔다.
2989	콜러스 왕조와 이웃나라 하구다 전쟁. A.K.D.나 트란 연방이 참전하여 전쟁은 종식되었으나, 클로소는 GTM '디 엔드리스'와 함께 봉인된다.
2992	아트로포스, 방랑 중에 센트리 '라이브'의 유생과 만난다.
2994	보오스의 하스하 연합공화국에서 '마그달과 데프레' 탄생. 아버지는 검성 카이엔, 어머니는 야보.
3008	아마테라스, 식전에서 훗날 성단을 공포에 몰아넣을 GTM인 '차라투스트라 아프터 브링어'를 공개.
3010	바하트마 마법제국의 주재 보스야스포트, A.K.D. 아마테라스 가의 왕좌까지 쳐들어가 선전포고를 하나 아마테라스는 무시.

연도	사건
???	[유사 이전~모나크 기] 모나크 세이크리드의 시대. 모나크라는 단어만이 전해진다.
???	[전승기] 캘러미티 고더스 왕의 시대. 이야기로만 전해지는 물체의 왕, 센트리 등장.
???	[아즈데뷰트 기] 몬솔론 황제 아즈데뷰트의 시대. 델타 벨룬성 가스갈 지방에 그 흔적이 남아있다고 하나 확증은 없다. 성단 대전쟁 후, 대부분의 문명이 소멸되었다.
AD	[AD세기]
2000	집적국가 유니오 탄생. 태양성단 전체를 통치하에 두는 초거대 국가. 이하 AD(에인션트 세기)라고 불린다.
3500	유니오가 '초제국 유니오'가 되고, 인류가 집합생명체로서의 모색을 시작. 인류사상 최고의 하이퍼 테크놀로지를 갖게 되었다.
4000?	스턴트 유성이 접근하면서 제2태양계 웨스터의 암흑성운이 걷혀 행성 카마인(붉은 별, 훗날 보오스 성으로 명명)이 발견된다.
5000?	유니오 최고 주재인 불꽃의 여황제, 초제국 '총제 헬리오스 나인' 탄생. '시녀 원모'로도 불린 위대한 지배자. 그리고 경이로운 힘을 가진 전투인간 '워 캐스터', 정신파워를 자유자재로 다루는 '글린트 츠빙겐'이 탄생. '하모딕 시스템'에 의한 최악의 파괴병기 '버스터 런처' 탄생. 그리고 인간형 전투병기인 '고딕메이드' GTM 탄생.
6750	불꽃의 여황제 퇴위, 모습을 감춤.
7000 ~	성단은 초제국 유니오의 지배 하에서 정보 제어와 전쟁으로 인해 옛 문명 등의 역사가 은폐되기 시작한다. 그 결과 후대에 역사가 정확한 형태로 보존되지 않게 되었다.
7500?	금단의 별로서 불가침의 대상이었던 행성 카마인에 대한 강제적인 식민개발 개시. 그러나 초생명체 '센트리'와 조우하면서 평화를 맺기까지 막대한 희생을 치르게 된다. 불꽃의 여황제 귀환. 행성 카마인에 '시녀'라는 기억전승 시스템을 남기고 사라진다.
7900	4개 태양계에 인류 정착. 델타 벨룬, 애들러, 카마인(보오스), 쥬노에서 초제국의 통제를 받는 국가가 독자적으로 발전하게 된다.
8000 ~	초제국 유니오 붕괴, 소멸. 크라운 은하의 중심까지 진출한 인류의 미지에 대한 개척은 일단락되었고, 초제국의 영향이 줄어들면서 '다스 란트' 등 새로운 국가들이 대두하기 시작한다.
8383	불꽃의 여황제 일시 귀환. 행성 캘러미티의 중산업국가 스패츌러, 하룻밤사이에 소멸. 아마테라스 가문의 등장.
9000 ~	AD세기 종료. 대제국 다스 란트, 동서로 분열.
성단기	[성단력]
0	성단력 원년. [AD세기 9899년] 4개의 태양계가 안정되어 각 태양계 간에 협정법안이 마련됨으로써 원년으로 지정됨. 인류의 문명은 정점에 달하여 전환점에 접어드는 시점이었다. 이 시기부터 1000년 단위의 역사에서도 이렇다 할 변화는 나타나지 않게 된다.
~	서태양계의 붉은 별에서는 '시녀'라 불리는 역사의 기억자가 이민자를 통합한다.
451	행성 카마인에서 새롭게 탄생한 시녀의 '성도행'을 노린 암살계획. 호위를 맡았던 도나우 제국의 황자가 저지했다.
476	GTM 카이제린, 시녀 란에게 보내진다.
535	북태양계의 두 강국인 필모어 이스트(도나우 제국)과 필모어 웨스트(태양왕국)이 합병되어 필모어 제국이 탄생.

조커태양성단연표

주 : 성단력과 지구시간이 싱크로 되지 않는 것은 조커 우주 쪽이 시간 흐름이 빠르기 때문인지도 모름.
'더 월'의 시간은 아마테라스가 실제로 보낸 시간으로, 그 사이 조커 성단에는 56억 7천만년의 시간이 흐르고 있었다.

	수수께끼의 소녀에게 검을 배운다.
4078	쥬노 알마 지방 A.K.D.군의 로레타, 콜러스군에 합류. 성궁 란, 콜러스 왕자에게 파티마 '델타 벨룬'을 넘긴다. 란의 후원을 얻은 콜러스 왕자, 반 아마테라스군의 리더가 된다.
4080	쥬노 내전 시작. 각 행성의 반 아마테라스 세력, 차례차례로 콜러스군으로 집결. A.K.D.각지에서 탄압이 거세진다.
4082	행성 애들러, 바스토뉴 해방. 미라쥬 나이트인 아라트, 콜러스군에 합류.
4090	콜러스군, 행성 보오스 해방.
4093	델타 벨룬 내전 시작.
4100	콜러스군, A.K.D.를 제압하고 성단을 해방. 센트리 '라이브'의 섬광으로 행성 델타 벨룬 소멸. 아트로포스와 클로소 소멸. 아마테라스, 성단에서 사라짐.
4100 ~	델타 벨룬 전쟁으로 성단의 GTM은 대부분 파괴되고 파티마가 희생되었다. 성단은 해방되어, 사람들은 애들러, 보오스, 쥬노로 흩어져 각각의 국가를 재건하거나 세워갔다. 남은 소수의 파티마는 에스트처럼 아무도 모르게 모습을 감췄다…. 성궁 란은 모든 사람들을 계속 지켜보았다. 모나크 세이크리드는 침묵하고 '아스타로테'는 모나크 기부터 이어져 온 성단기록을 중단한다.
	[태양력](성단력 18000)
18000 ~	쥬노의 디 볼쇼이 왕국의 왕녀 바나로테와 태양왕국 루르의 기사, 몽드가 만남. 센트리 '라이브'는 아트로포스와 클로소와 함께 인류를 지켜보고 있었다.
	[라키시스 외전] (성단 밖이기 때문에 시간의 흐름이 다르지만 라키시스가 기록하고 있는 성단력에 맞춘 연대표이다)
5899	마그나팰리스와 라키시스를 가둔 거대한 행성 캘러미티의 파편, 운석이 되어 떨어진다.
6599	라키시스, 눈을 뜬다. 그 우주에서 일어나고 있던 전쟁에 참전. 종전 후, 불안정한 마그나팰리스의 에너지로 인해 또 다른 시간과 공간으로 이동. 이후 이러한 시공간 이동을 반복함.
6787	라키시스, 사이보그병기인 '임페륜', '만티코어'를 거느리고 그 별에서 일어난 전쟁에 참전. 최종병기 '뷰런코트'까지 부하로 삼고 잠듦.
7281	라키시스, 아즈데뷰트 대제와 만남. 같은 시기에 아마테라스, 모뉴먼트(기념비)를 발견.
7343	라키시스, 눈을 뜬다. 1945년, 지구의 폴란드와 독일 국경에 출현. 쾨니히스베르크에서 '대 독일사단'의 잔존집단과 만남. 그 후 베를린 공방전에서 탈출한 후, 마그나팰리스와 함께 발트해에서 잠듦.
7563	라키시스, 성단력 2043년의 조커성단에 출현.
7777	5번째 태양출현. '차라투스트라 아프터브릿어', '디 카이제린' 최후의 전투. 녹색 별 포츈에서 라키시스, 아마테라스와 재회. '꽃의 시녀'에게 받은 씨가 뿌려진다. 딸 카렌, 85대 아마테라스 가 여제 출현. '카이제린'은 포츈에 남아 시녀 무구미카의 말대로 타워와 함께 새로운 세계를 지켜본다. 카렌은 마그나팰리스와 함께 타이카 우주로 떠난다.

3030	바하트마 마법제국과 추축연합군, 하스하를 침공. 이후 하스하는 분열되어 추축국연합의 지배하에 놓인다. '마도대전'이라 불리는 대동란의 시대가 시작된다.
3075	'영원의 시녀' 마그달, 성궁 란과 미노그시아 여타 지역을 해방. 마도대전은 종식되었지만 대동란의 시대는 행성 애들러까지 파급되었다.
3100	애들러 남반부의 요굳 대륙과 아다마스 대륙에서 국가 재편이 시작.
3159	아마테라스, 갑자기 예고도 없이 애들러에 대한 무력침공 시작. 버스터 런처를 사용한 무자비한 공격으로 아마테라스는 성단연합으로부터 살육자라고 고소당하지만 성단위원회를 탈퇴. 이후 아마테라스는 성단법을 무시. 같은 해 비밀리에 필모어 제국과 란의 시녀 간에 상상을 초월하는 협정이 체결된다.
3180	아마테라스 왕조의 기함 '더 월' 완성.
3199	아마테라스, 보오스 침공 개시. 성궁 란과 카스테포 이외의 전역을 지배하에 둔다. 많은 국가원수는 저항하지만 얄궂게도 일반시민은 안정적인 A.K.D의 정치를 환영한다.
3225	스턴트 유성 접근. 북태양계 노오즈 접근이 예상되는 가운데 불확정 행성 '버스터'가 출현한 것이 확인되었다. 아마테라스, 미라쥬 기사단 전원과 함께 스턴트 유성으로 향한다. 또 모든 '센트리'도 동행. 행성 버스터에서 불꽃의 여황제의 기함 '싱'출현. AD세기와 성단력 최강의 로봇인 GTM 슈치엔과 차라투스트라 아프터 브릿어가 함께 싸운다.
3227	행성 캘러미티는 지각변동이 심해지면서 행성의 붕괴가 시작됨.
3230	캘러미티의 국가, A.K.D. 편입을 거부. 아마테라스, 캘러미티 침공 개시.
3239	필모어 제국의 수도를 제압하는 과정에서 음비드 호수의 대단층에 떨어진 라키시스와 황제기 '마그나팰러스'를 구하기 위해 버스터 런처로 행성의 일각을 깎아내나, 캘러미티의 폭발로 인해 라키시스와 마그나팰리스는 시간의 저편으로 사라진다. 행성 캘러미티 소멸.
3300 ~	행성 쥬노를 중심으로 아마테라스에게 제압된 다른 행성의 주민들과 기사들이 아마테라스에 대항하기 위해 집결. 또한 이 시대부터 자원과 인재의 고갈이 심화되면서 '갈런드'의 부족으로 인해 GTM과 파티마 제조가 어려워진다.
3833	쥬노의 콜러스 5세, 쥬노 각국의 요청에 따라 행성 쥬노의 대표가 된다. 쥬노 방위연합 탄생.
3952	아마테라스, 거대해진 쥬노의 반 아마테라스 세력이 다른 행성으로 확산되고 있다는 사실을 확인하고 쥬노 침공 개시.
3960	아마테라스, 콜러스 왕조 제압. 행성 쥬노도 지배 하에 두고 성단황제가 된다. 콜러스 왕조의 여관 아텐타, 갓 태어난 콜러스 왕자를 데리고 탈출.
3961	아마테라스, 성단 전체를 통치. 그러나 아마테라스는 자신과 같은 모습을 한 파티마 '유판도라'를 내세우고 전 통치권을 맡긴다. 이후 아마테라스는 모습을 감춘다. 미라쥬 기사단도 해산, 소멸.
3968	콜러스 왕조 마이스너 가문의 생존자인 왕녀 디지나, 콜러스의 여관 룽카의 도움으로 행성 보오스로 탈출.
3969	아마테라스의 대역인 유판도라의 공포정치가 시작된다. 이 시대에는 GTM, 파티마의 숫자가 크게 줄어, GTM은 발굴하여 재정비하고 파티마는 비인간형인 '에트라물 타입'이 주류가 되었다.
4075	행성 쥬노의 밀림에 숨겨져 있던 '디 엔드리스'와 '클로소', 반 아마테라스군에 의해 발견된다. 콜러스 왕자만이 기동시킬 수 있다는 것이 판명. 그러나 제어시스템(파티마)가 없기 때문에 가동은 불가능했다.
4076	마이스너 왕녀 디지나, 보오스의 카스테포에서 콜러스 왕자와 만남. 이곳에서 알게 된 웨이와 함께 반 아마테라스군에 가담한다. 콜러스 왕자, 기사로서 활동 개시.

2023년 7월 25일 제1판 제1쇄 인쇄
2023년 7월 30일 제1판 제1쇄 발행

글, 그림 | MAMORU NAGANO
번역 | 김동욱

발행인 | 오태엽
편집팀장 | 이수춘
편집담당 | 오진범
표지 디자인 | Design Plus
라이츠사업팀 | 이은선, 조은지, 정선주, 신주은
출판영업팀 | 김정훈, 이강희
제작담당 | 박석주

발행처 | (주)서울미디어코믹스
등록일 | 2018년 3월 12일
등록번호 | 제 2018-000021
주소 | 서울특별시 용산구 한강대로 43길 5
전화 | (02)791-0513
인쇄처 | 코리아피앤피

The Five Star Stories Vol.17